鄭和與海洋文化—鄭和下西洋六百周年特展

Zheng He and the Oceanic Culture:
An Exhibition in Memory of the Six Hundredth Anniversary of Zheng He's Voyages

展覽地點 / 時間
國立歷史博物館 / 2005.9.16~10.23
台中縣立港區藝術中心 / 2005.11.5~12.25

國立歷史博物館
NATIONAL MUSEUM OF HISTORY

目　錄
CONTENT

序

　　鄭和（1371－1431）為中國古代傑出航海家，他於明永樂三年至宣德六年（公元1405年至1431年）先後七次率領兩萬七千多人組成的艦隊，遠航今東南亞至南亞印度洋等地區，航跡最遠曾達今東非肯亞海岸。其遠航目的雖是為宣揚大明帝國國威，但在他影響下，受到元末明初中國戰亂波及的東南亞及南亞地區的國際秩序卻因而恢復，很多海外國家亦紛紛派遣使者至中國進行友好交流。此後，中國人的世界觀逐漸改變，眼界日開，儘管仍受到海禁政策的限制，但國人遠赴海外開闢新天地的勇氣和行動則有增無減。因此，鄭和下西洋在中華民族的發展史上有極重要的地位。

　　本館為闡發鄭和下西洋的歷史和時代意義，開拓中華民族面向海洋的新視野，豐富中華文化內涵，特與吳京文教基金會經兩年籌畫，於本年鄭和下西洋六百周年之際舉辦「鄭和與海洋文化—鄭和下西洋六百周年特展」。展覽內容規劃為三個主題：（1）鄭和下西洋史跡；（2）海上絲路；（3）古代航海科技。展出文物有鄭和艦隊模型、鄭和航海全圖、鄭和塑像、鄭和劍、明代東廠用刀、鄭和矛、天妃靈應記碑原拓、鄭和行香碑原拓、鄭和鐘、鄭和船錨、宋元時期泉州外僑及宗教石刻、明代外銷工藝品、宋元明貿易瓷、中國古代各式船種模型、泉州出土之宋代海船模型及航海文物、明代航海用具及船舶構件等實物或複製品，近二百件。展品來源除台灣民間收藏家及學術單位提供外，主要由大陸福建省考古博物館學會、福建博物院、泉州海外交通史博物館、長樂鄭和紀念館、泉州天后宮、連江縣博物館等六個共同主辦單位提供。十一月五日至十二月二十五日並於台中縣立港區藝術中心舉辦續展兩個月。

　　另為使觀眾對中國古代造船科技有更充實的認識，此次展覽中還特別展出比利時國家海洋博物館珍藏百年的中國船舶模型，這批模型原為1905年清朝政府為參加當時在美國聖路易斯市舉辦的萬國博覽會而徵集的展品，後歸比利時政府收藏。本館十年前便極力爭取這批展品來台展出，此次得以在館展出殊為不易。在此要特別感謝比利時政府及麗塔館長的協助，也要感謝中華航空公司及安泰投顧投信公司熱情之贊助。

　　本館辦理此次展覽除要活化鄭和下西洋的史實，增進國民的時代意識與歷史感外；亦希望經由此展傳播中華民族冒險犯難與勇於開拓的歷史精神，激發兩岸同胞繼往開來的志氣與魄力；進而發掘中國及東亞海洋歷史和文化發展過程上的相關知識與文化資產價值，以增進國民自信，充實及豐富社會時代精神。

國立歷史博物館　代理館長

黃德錦　謹識

Preface

Zheng He (1371-1431), a prominent voyager of ancient China, made seven voyages between 1405 and 1431; his fleet, an armada cosisting of more than 27000 crews, travelled to Southeast Asia and South Asia, reaching as far as to Kenya in east Africa. The aim of these voyages was to exhibit the power of the Ming Dynasty; because of these voyages, the disturbed nations of the South and Southeast Asia gradually regained order. In this new peaceful atmosphere, many foreign envoys arrived in China to tighen the mutual relationship. Since then, the world-view of Chinese was changed and increasing number of people advantured finding a new life abroad, defying the edict of Hai Jin, or the ban on maritime activities. It is safe to say Zheng He turns a new page for the history of Chinese.

In order to promulgate the historical significance of Zheng He's Voyages, to point out new perspectives to the relationship between Chinese and the ocean, and to enrich and promote the dimensions of Chinese culture, the National Museum of History cooperates with WU-JING Cultural and Education Foundation and organizes "Zheng He and the Oceanic Culture: An Exhibition in Memory of the Six Hundredth Anniversary of Zheng He's Voyages." This exhibition is divided into three sections according to different topics: Tracing Zheng He's Voyages, Silk Road on the Sea, and Ancient Maritime Technology. The exhibits include models of Zheng He's fleet, Maps of Zheng's voyages, Zheng He Portrait, Zheng He Sword and Spear, Rubbings of Stela erected by Zheng He, trade porcelain and export handicrafts, as well as models and equipment of ancient Chinese ships. These exhibits come from local collectors, academic institutions, as well as museums on Mainland China: . This exhibition will continue in Taichung Seaport Art Center, from 5 November to 25 December 2005.

Moreover, in order to facilitate a more comprehensive understanding of ancient Chinese shipwright technology, we also borrow a set of one-hundred-year old Chinese ship models from the National Maritime Museum in Belgium. These models are originally exhibits collected by Qing dynasty for the World Expo held in St. Louis, USA. For ten years the National Museum of History has been working hard to borrow these models to be exhibited in Taiwan; these years' effort witnesses the preciousness of these exhibits. Here I would like to express my sincere gratitude to the Belgium government and Mdm. Rita Jalon, director of the National Maritime Museum; I would also like to thank Chinese Airline and to ING Group for their zealous support.

Besides highlighing the history of Zheng He's voyages and promote the historical consciousness within citizens, we also hope to stimulate the adventure spirit and wake up the ambition and courage to continue the history initiated by Zheng He. We hope this exhibition can bring about new insights into the knowledge and cultural values of Chinese and ocean, increase the confidence of the people, and expand the world-view of local society.

Acting Director
National Museum of History

吳序

「鄭和下西洋」雖然常掛在國人的嘴邊上，可是卻少知道它的內涵及它代表的精神；更難談到對它的重視。 公元2001年八月美國時代雜誌曾報導重走鄭和航線的經過；稍後，京曾訪談了專刊編輯群。 他們一致的感嘆是「你們中國人都不重視鄭和，令我們驚訝！」的確，相較西方航海家哥倫布、達珈瑪、麥哲倫等人事跡的廣為流傳，鄭和更早也遠為龐大的七次航海，似乎成為「被遺忘的航程」。

以研究中華文明著稱的英國劍橋大學李約瑟教授，早先對鄭和下西洋有這樣的描述：「當世界變革的序幕尚未揭開之前，即十五世紀上半葉，在地球的東方，在波濤萬頃的中國海面直到非洲東岸的遼闊海域，呈現出一幅中國人在海上稱雄的圖景，這一光輝燦爛的景象就是鄭和下西洋。」年前，京往訪美國國家工程研究院時，沃夫院長亦讚揚並主張研究及推廣鄭和遠航的科技成就。 今年美國國家地理雜誌及公共電視台更分別以專欄專輯報導鄭和事跡。 總之，「鄭和」不僅是中國的，也該是世界的。

鄭和遠航呈現的是中華民族長期文明發展的結晶，也代表著中華民族卓然而立的王道精神。 就前者言，鄭和七航有其豐盛科技的一面，極應集合人文科技學者來共同探討，京已在世界各地推動四項研究：中華造船科技與鄭和寶船，中華航海與鄭和船團航行，鄭和航隊海上食物供應與醫藥保健，及中華管理與鄭和大業。 就後者言，講鄭和故事實為宣揚中華文化文明最有效之管道。 已在京久居的美洲六大城先後成立鄭和學會或論壇，另三大城的組織亦在籌備中。

對國人言，晚清以來，西方對中華民族的批評是「閉關自守」、「固步自封」，其實中華民族曾有如鄭和遠航的傑出成就，對海洋文化有長遠的貢獻。 其中大陸東南沿海的居民，尤其是渡海而來的台灣先民，更有代表性。 兩年前向教育部黃榮村部長及文建會陳郁秀主委談起重振海洋文化。 蒙榮村先生支持由國立歷史博物館主事，吳京文教基金會協助，籌辦「鄭和與海洋文化特展」。 亦蒙郁秀女士支持由吳京文教基金會攝製「海上東風起 — 從西、葡看中華航海」教育影帶。

深深感謝國立歷史博物館前館長黃光男先生，副館長黃永川先生，蘇啟明主任等諸同仁的精心規劃，「鄭和與海洋文化—鄭和下西洋六百周年特展」已呈現在國人眼前。 雖然限於經費，但仍能很生動地呈述鄭和遠航的史實與精神。 史實方面尤其是寶船部份有福建省考古博物館學會以及多所博物館共襄盛舉；展出船模多艘。 陳中皇收藏家借展的明代宮中古物亦大為展覽增色；顯現了當時的文明發展。 更難能可貴的是，能從比利時國家海洋博物館借回具有代表性的古中國船模型；這些是清朝時從各地收集運往世界博覽會展出的珍品，是船模也是難得一見的藝術品。

是的，很多人說鄭和七下西洋後，中華民族的航海事業未能持續實為憾事。 惟京在國外演講時，亦有不少史學家指出：「不要盡談對中國的損失，何不多談談鄭和遠航對造訪地區文明發展的貢獻。」也有不少人說鄭和下西洋沒有得到任何經濟效益；但從另一方面看，以當時超強的海權，卻未像後來西方強權國家強制殖民進而剝削當地天然及人力資源，不正是鄭和遠航可貴之處嗎？

總之，鄭和七下西洋有深厚的教育意義。 祝賀國立歷史博物館善盡社會教育之責；深盼對國人有所啟發，全面迎向海洋。 同時亦盼海峽兩岸齊努力，促成此項精製的特展能延伸至大陸及世界各地，以宏揚我中華深厚海洋文化。

吳京文教基金會董事長

Preface

People from Taiwan always talk about Zheng He and his voyages, but few fully understand Zheng He's voyages and the spirit they embody. In its issue on August 2001, the Time magazine had a special report on Zheng He's voyages. Later, I had an interview with editors from that magazine. They unanimously marveled at Chinese's ignorance of Zheng He. Indeed, compared with Christopher Columbus, Vascos Da Gama, and Fernando de Magallanes, Zheng He, whose fleet was bigger and sailed to farther places, seems to become a forgotten voyager.

Joseph Needham, famous for his research on Chinese civilization, once made a vivid description of Zheng He's voyages. In his description, the seas from China to East Africa witnessed the glorious fleet of Zheng He in early 15th century, long before the beginning of world revolution. This perfectly describes the China's domination of the seas. Last year, I visited the National Academy of Engineering in America. The president of the NAE, Wm. A. Wulf, praised and urged the research on the technological achievements of Zheng He's Voyages. This year both National Geography and Public Television Service (Taiwan) provided a detailed report on Zheng He. To sum up, Zheng He belongs not only to China but also to the world.

Zheng He's voyages are the culmination of Chinese civilization and represent the Chinese spirit. For the former, the seven voyages were supported by highly developed technology, which deserves to be thoroughly studied. I have promoted four programs of research around the world, which focus on Zheng He's Treasure Ship and Chinese Shipwright Technology, Zheng He's Fleet and Chinese Navigation, Food Supply and Medicine of Zheng He's Fleet, and Zheng He's Career and Chinese Management Science. For the latter, Zheng He's stories are the best channel to promote Chinese culture and civilization. I have established several Zheng He associations in six cities of USA and have been preparing for another three similar associations.

Since late Qing dynasty, Chinese have been tagged as "exclusive" and "conservative." However, Chinese also contribute significantly to the oceanic culture via distinctive personas such as Zheng He. Inhabitants of southeastern coast as well as our forefathers who sailed to Taiwan are also representative of these contributors. Two years ago Dr. Huang Jong-tsun, former Minister of Education, Ms. Chen Yu-shio, former president of Council for Cultural Affairs, and I had a discussion on oceanic culture. With Dr. Huang's support, National Museum of History and Wu Jin Cultural and Education Foundation cooperated to organize the "Zheng He and Oceanic Culture" exhibition; Ms. Chen also supported Wu Jin Cultural and Education Foundation to film an educational video about Chinese's Navigation.

Many people point out that Chinese do not continue to pursue maritime power after Zheng He's voyages. They lament the loss of a great opportunity to become world power. However, when I gave lectures abroad, I heard several historical scholars praising the contribution of Zheng He to the cultural development of the places he visited. Many people's belief that Zheng He's voyages did not harvest any economic profits notwithstanding, the point of Zheng He's voyages may lies in his not exploiting the local natural and personal resources with his supreme power.

I would like to express my gratitude to Dr. Huang Kuang-nan, former director of the National Museum of History, Mr. Huang Yung-chuan, deputy director of NMH, and Mr. Su Chi-ming, researcher of NMH, for their effort to organize "Zheng He and Oceanic Culture: An Exhibition in Memory of the Six Hundredth Anniversary of Zheng He's Voyages." With the lack of budget, they still manage to present a vivid spirit of Zheng He's voyages. With the ship models from Chinese museums, private collections of trade porcelains and antiques, and the Qing ship models from the National Maritime Museum in Belgium, this exhibition showcases a panorama of Ming dynasty oceanic culture. Moreover, this exhibition highlights the educational value of Zheng He's voyages.

I would like to congratulate the National Museum of History for this exhibition and for its role to educate the society at large. I wish this exhibition could inspire Taiwanese people to embrace the ocean. I also wish the two sides of Taiwan Strait can cooperate to promote this exquisite exhibition in China and around the world and, in the process, to highlight the oceanic culture of Chinese culture.

President, WU-JING Cultural and Education Foundation

鄭序

　　鄭和，這位我國歷史上的偉大航海家和傑出的政治家、外交家，在1405年至1433年的前後二十八年間，先後七次率領多達二萬七千余人的龐大船隊，滿載著絲綢、陶瓷、銅鐵器等商貿品，"雲帆高張，晝夜星馳"，遠涉太平洋、印度洋和阿拉伯海，最遠航達非洲東海岸和紅海口，遍訪亞洲、非洲的三十多個國家和地區，創下了世界航海史上空前之奇跡，在中華民族發展史上佔有極為重要的地位，素為世人所傳頌。

　　福建瀕臨東海，港口資源豐富，其間鄭和屢率船隊在此駐泊，招募水手，整頓舟師，修造船舶，補充給養，薈集物品，祭祀海神，伺風開洋，短則一、二個月，長達近一年半載，有力地促進了福建經濟社會文化日趨繁榮，同時亦密切了福建與海內外的經貿交往。明永樂十年（1412年）鄭和率船隊第三次出洋回國後，特在福建長樂港的南山奏建天妃宮；永樂十五年（1417年）鄭和率船隊準備第五次遠航，專門到福建泉州港的靈山行香，立下碑記；宣德六年（1431年）十一月鄭和率船隊即將踏上最後一次遠涉重洋的里程，情感交集，在自己奏建的福建長樂南山天妃宮，立下了炳耀千秋的《天妃靈應之記》石碑，詳細追述了前後六次下西洋的盛況，何等的千古絕唱。正因為如此，在福建各地留下了許多有關鄭和及其船隊的珍貴文物和史跡。

　　此值鄭和下西洋六百周年之際，我們福建省考古博物館學會、福建博物院、泉州海外交通史博物館、長樂鄭和史跡陳列館、泉州閩台關係史博物館、連江縣博物館有幸與臺灣吳京文教基金會、國立歷史博物館、台中縣立港區藝術中心共同舉辦《鄭和與海洋文化—鄭和下西洋六百周年特展》，將散見於福建各地博物館收藏的近六十件與鄭和相關的珍貴文物—鄭和塑像群、鄭和刊鑄銅鍾、鄭和行香碑、鄭和刊立天妃靈應之記碑、鄭和所率船隊構件及航海用具等，或以原樣複製、或形成拓本、或做成模型等，輔以照片圖表與文字介紹，與臺灣民間收藏家及學術單位提供的展品一道獻給世人共賞，旨在力圖闡釋鄭和七下西洋的輝煌業績和所具有的劃時代意義，籍以緬懷先輩不畏艱險、開拓進取的創業精神。我衷心地期盼通過兩岸共同精心籌畫舉辦的這次《鄭和與海洋文化—鄭和下西洋六百周年特展》，能夠使廣大觀眾從中得到更多的啟迪與激勵，其意足矣！

福建省考古博物館學會副理事長

Preface

From 1405 to 1433, Zheng He, the great voyager and outstanding diplomat of China, led seven fleets of more than 27000 crews each, carried loads of silk, porcelains, bronze and iron wares, and travelled across the Pacific Ocean, the Indian Ocean, and Arabic Sea to as far as the east coast of Africa and the Red Sea. He visited more than 30 countries and regions in Asia and Africa, his achievement unprecedented in world history of maritime exploration. He is generally acclaimed as the most important person in Chinese civilization.

Situated near the East Sea of China, Fujian ports have abundant resources. During his voyages, Zheng He always brought his fleet to be anchored here, recruited his sailors, built and fixed all ships, accumulated supplies, offered sacrifices to sea gods and prepared for sailing. His stay ranged from one or two months to half or one year. His staying in Fujian promoted the social, economical, and cultural development and facilitated the interaction between Fujian and domestic and overseas harbors. In 1412, after returning from his third voyage, Zheng He established a temple for Tien Fei, or Heaven Goddess; in 1417, preparing for his fifth voyage, Zheng He worshipped in Lin Shang and established a memorial stele; in 1431, on the eve of his seventh, and the last, voyage, Zheng He erected the stele of Tien Fei to describe in detail his previous six voyages. His steps and traces can be found around Fujian region.

This year marks the six hundredth anniversary of Zheng He's voyages. Fujian Provincial Archaeology and Museology Society cooperates with the National Museum of History to organize "Zheng He and Oceanic Culture: An Exhibition in Memory of the Six Hundredth Anniversary of Zheng He's voyages." We collect about 60 Zheng He artifacts dispersed among several museums, prepare relevant photos and explanation, and hope to present an exhibition to explan and promote the significance of Zheng He's achievement and celebrate his courage and advanturous spirit. I hope this exhibition can inspire and stimulate the general public to work for a bright future.

Board Vice-chairman,Fujian Provincial Archaeology and Museology Society

Zheng Guo-Zhen

專文

鄭和下西洋史事考述

蘇啟明 撰

　　鄭和下西洋是個歷史事件,有文化上的意義,也有時代共識上的價值。今年適逢鄭和下西洋六百週年,海內外對鄭和研究亦方興未艾,而近四十年來,台灣學術界對鄭和的研究則一直未曾間斷,其部分成果即使面對今天大量新出的文獻或考古資料,也經得起考驗。本文目的在回到有趣的歷史面,希望藉一些比較可靠的學術見解去看一看有關鄭和下西洋的一些問題。

◎ 鄭和下西洋的動機與目的

　　從明代中期以來很多筆記小說講到明成祖派鄭和下西洋,便離不開尋找惠帝下落這件事,其中最常被引述的是沈德符《野穫編》所記:「少帝自地道出也,蹤跡甚秘。以故文皇帝遣胡濙訪張三豐為名,實疑其匿他方起事;至遣鄭和浮海追歷諸國,而終不得影響。」清初修《明史》時也接受這個說法,如〈鄭和本傳〉中便謂:「成祖疑惠帝亡海外,欲蹤跡之,且欲耀兵異域,示中國富強。永樂三年六月命和及其儕王景弘等通使西洋。」〈胡濙傳〉亦記載:「惠帝之崩於火,或言遁去,諸舊臣多從者,帝疑之。五年,遣濙頒御製諸書,並訪仙人張邋遢,遍行天下州郡鄉邑,隱察建文安在。...二十一年還朝,馳謁帝於宣府,帝已就寢,聞濙至,急起召入,濙悉以所聞對,漏下四鼓乃出。先濙未至,傳言建文帝蹈海去,帝分遣內臣鄭和數輩浮海下西洋,至是疑始釋。」這些史料都明白指出鄭和下西洋與尋找惠帝下落有關。

　　現在學術界都不認為鄭和下西洋只是單純的為尋找惠帝蹤跡。現在比較流行的觀點是所謂「朝貢貿易」說。蓋明初天下未定,不服朱明王朝的反叛勢力仍分據海外,而且蒙古人的威脅仍在,西亞至印度半島北部且在帖木兒汗國治下,許多海外國家對大明政權的立場是猶疑的。為此明太祖朱元璋特別下令實施海禁,嚴禁百姓通番貿易;甚至垂訓他的子孫不要無端生事於海外。然而,自唐末以來,中國東南沿海與東南亞各國交通已十分頻繁,海外貿易早成了國家歲收重要來源。一些國家非常重視中國的物資,所以儘管明朝政府不想發展對外關係,他們還是來中國朝貢。為此明太祖也採取了一些寬大措施,如他在洪武十年瑣里國遣使入貢時,曾對中書省下諭旨說:「西洋瑣里,世稱遠番,涉海而來,難計年月,其朝貢無論疏數,厚往薄來可也。」

　　洪武晚年及惠帝在位期間,東亞的日本及東南亞地區的中南半島、爪哇、蘇門答剌、馬來半島等很多國家都發生戰亂,特別是安南不斷侵擾廣西邊境;這些亂事中有不少中國的亡命之徒混跡其間,甚至據海為盜阻撓外番向中國朝貢。這種形勢使明朝政府不能不積極過問海外之事。因此成祖即位後不久,便派遣中官馬彬、李興、尹慶等分使爪哇、蘇門答剌、暹羅,和滿剌加、柯枝等國;據載鄭和也曾於永樂二年(即下西洋的前一年)奉命率軍到日本去抓倭寇。

　　成祖一生都在征塵中度過,後來甚至死於北征蒙古途中,但他對海外西洋各國的外交方針卻是和平的。據現有史料看,終成祖之世,除了安南以外,明廷從未對東南亞及南亞任何一個國家用過兵(這與元朝是不一樣的)。但是他這種和平外交也有強大的軍事實力和物質條件做後盾,鄭和下西洋的龐大艦隊便是。

　　從永樂三年(公元1405年)起,至宣宗宣德六年(公元1431年),鄭和先後下西洋七次;其中六次是在成祖在位時。每次遠航時間平均兩年,前三次幾乎是回來沒幾個月便再出海。往訪的地區前三次都在印度半島以東,第四次以後才遠赴阿拉伯半島及東非沿海。在鄭和的影響下,東南亞海道大清,因此有不少國家遣使來中國朝貢,特別是第四次以後;鄭和第五次及第六次下西洋的任務之一甚至是為了護送這些外國使臣回國。據統計成祖一朝各國使臣來朝共三百一十八次,比洪武時期要多一百三十五次,是明代各朝中最多的。就宣揚國威言,鄭和下西洋確實是達到了目的。

除了強大的軍力以外，豐厚的物質條件也是吸引外國遣使來中國朝貢的重要原因。成祖自己說過：「遠方之人，求利而已。」永樂元年，即諭主管番貢的禮部曰：「太祖高皇帝時，諸番國遣使來朝，一皆遇之以誠，其以土物來市易者，悉聽其便。或有不知避忌而誤干憲條，皆寬宥之，以懷遠人。」他除了沿襲洪武朝不向外商收稅的慣例外，還幾次令有司從寬處理外國使臣違禁的事。為了接待來華的外國使臣，成祖特於永樂三年下令福建、浙江、廣東三處市舶提舉司各設譯館專門負責接待事宜；凡外國使臣來到中國，不待進京朝廷便派專員前往上處譯館設宴接風，使臣返國時也要派人前

福建長樂漳港顯應宮出土的鄭和及其部將之泥塑（明萬曆年間塑製）

往餞行，絕不允許禮輕儀簡。當時奉使下西洋的中國使臣，包括鄭和在內，照例都攜有中國皇帝敕封各番國君長的國書、璽印、衣冠等，還有大量黃金、白銀、錢鈔，及瓷器、銅器、各種絲織品等。而海外各國與中國使團就地交換或進貢中國的物品則主要是香料、寶石、象牙、犀角、珊瑚、西洋布，及各種奇花異獸珍禽等；據《大明會典》所載，當時入貢方物的國家有占城、暹羅、爪哇、滿剌加、阿魯、蘇門答剌、錫蘭山、小葛蘭、古里等十餘國，其所進貢方物有些並非當地所產，而係各國彼此交換而來。

中國輸出給外國的物品中，除了象徵邦交的儀式用品外，舉凡瓷器、絲綢等都是西洋各國之間貿易往來的搶手貨，其轉手之間獲利往往數倍，因此各國除了經朝貢而獲得中國賞賜外，也往往利用朝貢機會留在中國大肆採購，中國政府為了嘉惠遠人並不干涉。反之，上述這些舶來品卻都不是中國的民生必需品，它們主要是提供給皇室貴族及少數高級官員等統治階層使用。《明實錄》便記載：永樂二十二年，暹羅貢胡椒一萬斤、蘇木十五萬斤，朝廷照例以高價收受並儲於倉庫中，結果那年財政窘困朝廷一時竟發不出官員的薪水來，只好拿出部分儲存的貢物抵用官俸。不容否認，在當時可能也有一些「有辦法」的人透過特殊管道取得一些貢物到民間販售以致發財者，但畢竟少之又少。這就是「朝貢貿易」的實況。

明朝文獻中從未有過「朝貢貿易」這個名詞，更無所謂的「朝貢貿易體制」；明朝政府希望外國來中國朝貢是事實，但不一定就把朝貢這件事作為貿易的前提或條件。史料記載永樂二年琉球國王使臣攜帶白金私自到處州購買瓷器，禮部尚書李至剛奏聞拿辦，而成祖則以遠人當懷之為由不怪罪。從這件事可知當時按律朝貢也是沒有貿易特許權的。有些學者認為鄭和下西洋是因為明成祖要解決即位之初迫切的財政問題。這個觀點也說不通，因為鄭和下西洋所花費的財力更大，成祖晚年時就有大臣委婉的向他進諫，說：「連年四方蠻夷朝貢之使，相望於道，實疲中國。宜明詔海外諸國，近者三年遠者五年一來朝貢，庶幾官民之便。」戶部尚書夏元吉則明言：「中官造巨艦通海外諸國，供億轉輸以巨萬萬計。」不久仁宗繼位便下令停止通番之舉了。如果下西洋真帶給明朝巨大的經濟利益，為何不繼續呢？清代史學家趙翼說：「鄭和奉使命出海，以重利誘諸番，故相率而來。」說的確實是實話。而這番壯舉的動機與目的，說穿了不外是要確保明成祖個人的權力地位與宣揚明帝國的國威而已！

◎ 鄭和船艦的大小與規模

鄭和下西洋所乘坐的船艦規模、種類，及編組等，一直是鄭和研究爭議最多的問題。據《明史‧鄭和傳》記載：鄭和出使西洋時，「將士卒二萬七千八百餘人，多齎金幣。造大船，修四十四丈、廣十八丈者六十二。」然而明朝的一些文獻則說：寶船共六十三號，大船長四十四丈四尺、闊十八丈，中船長三十七丈、闊十五丈。羅懋登《三寶太監西洋記演義》（1597年刊刻）則說鄭和下西

洋的船艦由下列五種組成：「寶船」長四十四丈四尺、寬十八丈、九桅，有三十六艘；「馬船」長三十七丈、寬十五丈、八桅，有七百艘；「糧船」長二十八丈、寬十二丈、七桅，有二百四十艘；「坐船」長二十四丈、寬九丈四尺、六桅，三百艘；「戰船」長十八丈、寬六丈八尺、五桅，一百八十艘。整個船隊加起來共一千四百五十六艘。其航行編隊則以寶船為中心，坐船分前後左右四營環繞於外，其他船種則分列為前哨、後哨，及左右翼等。

泉州海外交通史博物館複製陳列的鄭和船隊模型。

　　根據上述尺寸資料計算，鄭和「寶船」將是一艘長約138公尺、寬約56公尺的艨艟巨艦，相當於現在一艘載重七千噸的船。無疑的，它是人類史上迄今為止最大的木造船。

　　近來部分學者對上述文獻記載較持保留態度。主要存疑的重點是這麼大的船實際上並不好操作，而且遍翻宋元以來造船文獻都沒有相關的記載；而晚近在中國、日本、朝鮮、泰國、馬來西亞等海域考古出土的宋元明清時代的木造船體也不曾發現如此大型的相關構件。台灣學者管勁丞、包遵彭兩氏，曾根據民國二〇年代新發現的《龍江船廠志》（明‧李昭祥編著，1553年刊刻），和「南京靜海寺殘碑拓本」上的資料，首先提出鄭和「寶船」當為二千料的海船，長約55公尺、寬約8公尺、4至6桅。1957年大陸在南京下關明代龍江造船廠遺址發掘到一根長11.7公尺的舵杆，依杆上的榫槽推測，其安裝的舵葉高度當在6公尺以上；據此則安裝此舵的船身長度將在144公尺至159公尺之間。

　　最近兩岸學者的研究結果傾向下列論點：

　　（1） 所謂「寶船長四十四丈四尺、闊十八丈」等尺寸記載，可能源出於羅懋登的誇張敘述，此同其所記船隊編組數目一樣是無事實根據的。

　　（2） 根據費信《星槎勝覽》、祝允明《前聞記》等文獻記載，鄭和每次下西洋統領官兵總額在二萬七、八千人左右。

《天妃經》卷首所附鄭和下西洋插圖。原圖刻於明永樂18年（1420年），為鄭和船隊最早的圖像遺存。

（3） 據南京「靜海寺殘碑」所記：「永樂三年，將領官軍乘駕二千料海船并八櫓船…清海道。…永樂七年，將領官軍乘駕一千五百料海船并八櫓船。…」及新近發現可能是存世最早的鄭和下西洋船艦圖像「天妃經卷首插圖」（永樂十八年刊刻），長55公尺、寬15公尺、高5.5公尺、4至6檣，排水量約1500噸的二千料尖底海船，應是鄭和當年下西洋的主力船艦之一。而一千五百料船與八櫓船則要小一些，但最短不會小於40公尺，有3檣，排水量約600噸。

台灣學者蘇明陽教授參考明清時期出使琉球的「封舟」尺寸，並考量明初造船能力等主客觀條件後，認為鄭和船隊應有一艘帥船，且其尺寸可能為六千料海船，其船身約長70公尺、寬15公尺、吃水深5公尺，排水量約2000噸。至於鄭和船艦編組與兵員配置，蘇教授也提出他的見解，其規模是：六千料帥船一艘，載官兵600名；二千料船60艘，各載官兵200名；一千五百料船也是60艘，各載官兵150人；八櫓船及四百料戰船共128艘，每艘載官兵50人。總船數為249艘，兵額總數為27000人。

據《明實錄》等相關史料記載：位於南京龍江關的「寶船廠」便是奉命承造鄭和船艦的主要基地，這個船廠後因明廷停造下西洋寶船而萎縮，至嘉靖年間便改名為「龍江船廠」。清季開始淤塞，迄今當地還有頭作塘、二作塘、三作塘等地名，應是當年的船塢。五○年代起遺址即出土許多大型船構件，除了前述的大舵杆外，1965年也出土過長2.2公尺的絞關木，估計可以起重一千公斤的錨具。

所謂「寶船」，是鄭和下西洋船艦的統稱，因其負有「下西洋取寶」的任務，故名之；明朝官方文書也用這個名稱。《明實錄》明確記載：自永樂元年到三年，共造海船一千五百七十二艘，改造海船二百八十一艘；永樂四年至十七年，共造海船五百四十四艘，改造海船三百六十一艘。紀錄如此清楚，可知當年明廷對鄭和下西洋組織與動員之慎重。

◎ 鄭和船隊到過那些地方

明宣宗宣德六年鄭和第七次下西洋前夕，他特別親自撰寫了一篇〈天妃靈應之記〉刻記立碑於福建長樂南山天妃行宮。碑文共一千一百七十七字，首言下西洋的源起，次表天妃之靈驗與屢修廟宇之誠，最後綜述前六次下西洋之經過。這是迄今直接記載鄭和遠航最珍貴的文物之一。碑文首段即曰：「自永樂三年奉使西洋，迄今七次。所歷番國：由占城國、爪哇國、三佛齊國、暹羅國，直踰南天竺、錫蘭山國、古里國、柯枝國，抵於西域忽魯謨斯國、阿丹國、木骨都束國，大小凡三十餘國，涉滄溟十萬餘里。」

《明史·鄭和傳》是最常被引用的記載，其於鄭和所歷國家則明白列出三十七個地名，較〈天妃靈應之記〉多出下列國家：真臘、滿剌加、渤泥、蘇門答剌、阿魯（在蘇門答剌島北岸）、大葛蘭、小葛蘭（在印度西南端）、加異勒、阿撥把丹、南巫里、甘把里（以上四地皆在蘇門答剌島西端）、喃渤利、彭亨、吉蘭丹（以上三地在馬來半島東南岸）、比剌、溜山（今馬爾地夫群島）、孫剌、麻林、剌撒（以上兩地在東非肯亞境內）、祖法兒（阿拉伯半島南部）、沙里灣泥、竹步（在東非海岸）、榜葛剌（今孟加拉）、天方（又稱天堂國，今麥

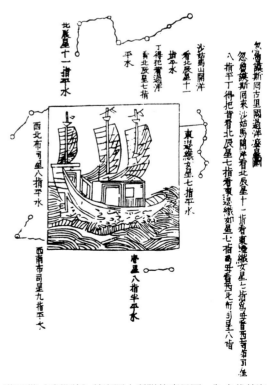

茅元儀《武備誌》航海圖中所附的牽星圖，為古代航海重要的導航指南。

加）、黎伐、那孤兒（以上兩地在蘇門答剌北邊）等。

　　馬歡、費信、鞏珍是親身參與鄭和遠航並有著作傳世者。馬歡參加第三、四、七次遠航，著有《瀛涯勝覽》；費信參加第二、三、七次遠航，著《星槎勝覽》（分前後集）；鞏珍只參加第七次，著有《西洋番國志》。三書記載所經歷的國（地）名略有差異，如以馬、費獨至者加上他們共同去過的地方，則共有二十九國；這二十九國都未包括木骨都束、麻林等東非地區，可能因他們正巧都不在前往東非的分艘船隊上。

　　鄭和七下西洋對所探訪的地區是有先後輕重之分的。第三次以前，其足跡最遠只到印度半島西岸的古里，而占城、爪哇、滿剌加，和錫蘭山則每次必到；這些地方是他出西洋的要衝之地，巧的是鄭和也都在這些地方遇到麻煩事。如永樂四年六月，鄭和官兵初抵爪哇就碰到島中內亂，鄭和所部因此遇害一百七十多人，鄭和一度準備興師致討。永樂七年十二月鄭和大軍道經錫蘭山，準備轉往波斯灣地區的忽魯謨斯國，不料被錫蘭王打劫，經過一番苦戰才脫險；因錫蘭王阿烈苦奈兒被俘上船，船隊只得折返中國。

　　第四次以後的遠航才真正充滿異國風味，此由馬歡和費信的著作中可以感受到。如費信《星槎勝覽》敘述第七次遠航途經孟加拉灣的「翠蘭山國」（馬歡稱之為裸形國）情景：「其山大小有七門，中可行船。傳說釋迦佛經此山，浴於水，被竊其袈裟，佛誓云：『後有穿衣者，必爛衣肉！』由此男女削髮無衣，僅有樹葉紉結而遮前後。米穀亦無，只在海網捕魚蝦，及蕉椰子為食啖也。然聞此語，未可深信，然其往來未得泊其山下。宣德七年壬子十月二十三日，風雨水不順，偶至此山泊繫三日夜，山中之人駕獨木舟來貨椰實，舟中男婦果如前言，始知不謬矣。」

　　永樂十四年九月，就在鄭和第四次下西洋返國後不久，成祖決定遷都北京，翌年春即破土大興土木，而鄭和隨後也踏上第五次航程。這次隨他來中國的外國使臣與海外珍寶特別多，所謂「若乃藏山隱海之靈物，沉沙棲陸之偉寶，莫不爭先呈獻。」顯然西洋各國知道大明國在營建新都於是紛紛貢獻遠方奇珍以示捧場。

　　永樂十九年正月，鄭和以護送在華諸國使團返國為名第六次出使西洋。由於需護送返國的使臣太多了，船隊離開蘇門答剌後即分艘為數隊，各由副使帶領分訪各國。鄭和率領的船隊於第二年八月最先回到中國，其他船隊則陸續回來，其中有晚至公元1425年始回到中國者，他們在外面整整漂泊了六年，據說「曾抵達極遠之洲」。

　　公元1431年，宣宗因有感停罷通番後，諸夷朝貢大減，於是再遣鄭和出使西洋。這是第七次，也是最後一次，此時鄭和已近六十歲了。由於距前次下西洋時間已久，因此這次準備的時間也較以往長。鄭和好像有預感似的，特地撰寫了兩篇碑銘記述歷次下西洋的事蹟，除了前述立在長樂的〈天妃靈應之記〉外，另一塊便是立於蘇州太倉劉家港天妃宮的〈通番事蹟碑〉，兩碑內容差不多。鄭和生來是回教徒，「三保」可能是他的回教教名。據考其祖先是西域某一回教國家的貴族，後隨蒙古大軍遠征雲南，從此便世居雲南昆陽。公元1381年，明軍入滇時，年幼的鄭和被俘去勢，以後轉入燕王朱棣帳下，追隨朱棣北征南討，因功而被賜姓「鄭」。成祖當了皇帝後很重用鄭和，任他為內官監太監，負責皇室的營造工程。回教徒的身分對鄭和下西洋自然有利，但鄭和對佛教也很虔誠，曾於下西洋前後二、三十年間施印《大藏經》十一部送各寺院流傳；第二次遠航時他還專程到南亞佛教聖地錫蘭山朝拜，並刻石立碑紀念，同時迎請佛牙供奉於南京靜海寺。他也崇敬媽祖，於永樂七年奏請朝廷尊奉媽祖為「天妃」；另外他在下西洋期間屢次修建各地佛道廟宇，修建最多的便是天妃廟。他在〈通番事蹟碑〉中說：「海洋之狀，變態無時，而我之雲帆高張，晝夜星馳，非仗神功，曷能康濟。」鄭和把一生航海成就都歸功於天妃之庇祐，這對日後海外華人精神信仰的形成與凝聚是極有貢獻的。

　　公元1433年初，就在船隊成功訪問天堂國後準備返回中國之際，鄭和不幸病逝於古里。他的部將不顧一切逆風行駛，將鄭和遺體運至爪哇三寶瓏安葬；七月，船隊返抵劉家港，這一幕人類史上

空前的航海壯舉才正式落幕！

　　鄭和七下西洋確實是人類歷史上少見的壯舉。他統帥的船艦在當時是空前龐大的，其力量舉世無匹。這說明十四、五世紀之交的中國，其國力仍是遙遙領先世界的。就在同一個世紀快結束的時候，歐洲人的腳步才跟上來－哥倫布發現美洲「新大陸」。而說來奇怪，此後世界歷史的發展卻是由歐洲人開啟並主導！因此，這使得鄭和下西洋的意義與價值變得很不好理解。我們經過以上史實介紹應該可以確定幾個重點：

　　首先，鄭和下西洋不是追逐經濟或商業上的利益，更沒有任何立國精神轉向之企圖。它只是傳統中國君主王朝另一種形式的「虛榮」表現。其性質與歐洲後來進行的地理大發現完全不同，所以其意義也不一樣。

　　其次，鄭和下西洋之舉是唐宋以來中國海洋文化發展累積的成果。公元九世紀時東西海上交通因阿拉伯人與中國東南沿海人民積極開拓而興旺起來，中國人輾轉發現了許多「東、西洋」航路，造船技術與航海知識大為增進，不少知識分子甚至跟著商人旅行到東南亞、印度洋沿岸各地。此種海外發展趨勢經過南宋及元朝政府的一些措施且得到加強。明初雖一度實施海禁，但中國人從事海外交通活動的基礎仍然雄厚，所以才能很快的造就鄭和下西洋的壯舉。因此鄭和下西洋不是一件突如其來的事；僅就海上交通史而言，它便有可以進一步探討的歷史文化知識。

　　鄭和確實是個偉大的航海領導者，但他只是擴大前人航海事業累積的成果；他並沒有發現什麼新航路，也沒有佔領過一片海外土地，更未曾鼓勵過任何殖民活動。他留給我們最大的遺產是見證了中華民族有從事海上交通並發展海洋文化的能力！

天妃靈應之記碑是重要的鄭和下西洋文物及文獻。原碑現存福建長樂鄭和史蹟陳列館。

鄭和下西洋與福建長樂港

梅華全撰

　　2005年7月11日，是中國人民的第一個海洋日，也是明代鄭和下西洋六百周年的紀念日。這無論對中國、對世界，都是一個值得永遠紀念和銘記的日子。對於具有三千多公里綿長海岸線的福建人民，對於每次都接納鄭和遠洋船隊在福建駐泊的福州人民來說，更具有一段魂牽夢縈的深厚感情。

　　鄭和（1371－1433年）是十五世紀我國傑出的航海家。六百年前，他所率領的龐大的中國船隊，航行於太平洋、印度洋的驚濤駭浪之中，創下了彪炳史冊的偉大業績。他縱橫海上二十八年，統領舟師十八萬人，前後七次出使西洋，訪問了亞非三十余國。其規模之大，人數之多，足跡之廣，影響之大，都為古代中外航海家所不及。鄭和七次下西洋，每次必先在福建停留，爾後又都是從長樂港的五虎門出發，踏上漫漫的海上旅程。《明史·鄭和傳》載：「鄭和，雲南人，世所謂三保太監者也。初事燕王藩邸，從起兵有功，累擢太監。…永樂三年六月，命鄭和及其儕王景弘等通西洋，將士卒二萬七千八百餘人，多齎金幣。造大舶，修四十四丈，廣十八丈者六十二。自蘇州劉家河泛海至福建，復自五虎門揚帆…。」

　　在中國，從遼東半島到海南，從渤海至廣州灣，海岸線不可謂不長，良港不可謂不多。然而，鄭和何以唯獨鍾情于長樂，鍾情於名不見經傳的太平港？一個小小的港灣何以擔此重任？筆者認為，除長樂港的獨特地理環境之外，當時福建的經濟、海外交通以及對外貿易諸方面的優勢，都為船隊的駐泊提供了極其有利的條件。

一、長樂港的地理形勢優越：

　　鄭和從明永樂三年（1405）開始，至宣德八年（1433）結束，前後共二十八年，連續七次下西洋，他率領的船隊，船隻最少的次數有四十四艘，最多的達二百多艘，隨行總數達十八萬人次。要提供這龐大的船隊駐泊，首先要求有一個進出方便、避風良好、靠泊安全的優良港口。長樂太平港位於我國東南部，北距明朝政治中心南京較近，南下太平洋便捷，又是南、北季風交替之地，不僅地理環境優越，而且因靠近省會福州，對駐泊期間舟師人員的安全防範、後勤保障等方面都具備良好的條件。

　　據明弘治《長樂縣誌·山川卷》載：「太平港在縣治西半裏許，舊名馬江。本朝永樂中，遣內臣鄭和使西洋，海舟皆泊此，因改今名。」又載：「吳航頭在縣治馬江。」因此，縣西古吳航頭一帶的水域，就是當年鄭和船隊駐泊的太平港。從地理形勢看，太平港位於閩江下游馬尾港出口處的上洞江和下洞江之間，南北兩地有陸地屏隔，下洞江出口東距閩江口約有35公里，是一個內港，出入大海十分方便。而位於太平港東北部的閩安鎮，江面狹窄，山峰夾峙，是進入閩江內部的咽喉，對海風和浪潮都可以起到阻扼的作用。不管再大的風浪，經過狹窄的閩安鎮以後，其勢力都會大大減弱。至南分進入太平港，幾經曲折迂回，也就愈加和緩。停泊在太平港裏的船隻，便可避免狂風巨浪的襲擊。即使颱風來襲，也不會造成太大的損失。能避風和防浪，就是太平港最大的地理優勢。

　　現在長樂太平港有許多以洲、嶼命名的村落，說明早先的太平港內是沙洲，島嶼星羅棋佈。因為港面開闊，海水能夠進入，故宋代曾在今之洋門（龍門）、大邊（岱邊）和坑田一帶曬鹽。到了元代，鹽場被廢，港內開始淤塞。至明初鄭和下西洋時，太平港雖然淤塞變窄，但主航道仍然深廣。從當今人們對坑田、琅歧以下的舊港道淤積平原進行勘測的情況來看，其寬者足有四、五里，窄者亦有一、二里之廣。即使宋元以後港道有所淤積，但在明代前期，太平港最寬處也應在二里，最窄處一里左右。在那寬闊的港面上，沙洲、島嶼回環形成泊岸，更是船舶良好的靠泊地。五〇年代後，人們在上洲、下朱、洋野等村莊裏發現的古代纜繩、竹索、鐵錨以及營建城關百貨大樓時地下發現的船索、錨錠等遺物，都可證明這一帶歷史上曾經是港灣，停泊過大小船隻。

　　除地理優勢外，太平港在安全方面還有獨特的優勢。明初，東南沿海及海上局勢很不平靜。明太祖曾經消滅了割據沿海的張士誠、方國珍等武裝集團，但其餘黨多逃亡海上，勾結倭寇，頻頻騷擾沿海地

區。史稱：「日本地與閩相值，而浙之招寶關其貢道在焉，故浙閩為最沖。」[1] 福建的海防對防禦倭寇的侵犯，具有特殊意義。東南沿海海防的安危則直接關係到明政權的穩定。據蕭大同所撰《備倭記》記載，福建沿海當時有要害53處，長樂縣的梅花、松下港即為其二。為了保證沿海海防的安全，明初，政府在福建、浙江沿海設置了水寨、衛所與巡檢司兩道防禦系統，構成有史以來沿海的嚴密防線。明洪武二十年（1387年），朱元璋命江夏侯周德興「理福建事務」，「至閩按籍僉練，得民兵十餘萬人，相視要害，築城一十六，置巡司四十有五，防海之策始備。」[2] 翌年，又命湯和「行視閩粵，築城增兵，置福建沿海指揮使五，曰福寧、鎮東、平海、永寧、鎮海；領千戶所十二，曰大金、定海、梅花、萬安、莆禧、崇武、福全、金門、高浦、陸鼇、銅山、玄鍾。」[3] 建立起了完善的以福州為中心的全省防禦體系。如福建都指揮使司的福州左、中、右三衛，下轄十七個千戶所，約有旗軍人數二萬人。其中地處閩江口的長樂梅花千戶所距長樂約30公里，配備兵力1458名，就為進入閩江航道的船隻提供了週邊安全保證。另外，在閩江出口航道的閩安鎮設立的巡檢司，又直接對太平港形成了第二道防線的保護作用。這種嚴密的設防體系，對鄭和下西洋船隊備航遠洋無疑提供了有效保障。

二、福建能為船隊提供雄厚的物質保障

鄭和下西洋規模龐大，人數眾多，除正、副使外，還有官校、旗軍、火長、舵工、班碇手、通事、辦事、書算手、醫士、鐵錨、木艌、搭材匠、水手、民梢等一大批隨行人員。每次出洋，人數約在二、三萬人次。如此眾多的人員出海遠航，除必須攜帶大量柴、米、油、鹽、酒等日用品外，還有肩負著商務外交的使命，必須準備大量的外交貿易商品，隨時準備同各國各地政府進行外交貿易。因此，出航之前準備充分的、具有中國特色的貨物是必不可少的。如宣德五年（1430）鄭和船隊分舟到古里國時，內官太監洪保看見古里國差人往天方國，於是「就選差通事等七人，贏帶麝香、瓷器等物，附本國船隻到彼。…買到各色奇貨異寶，並畫天堂圖等真本回京。」[4] 在錫蘭國，國王對「中國麝香、苧絲、色絹、青瓷盤碗、銅錢、樟腦甚喜，將寶石、珍珠換易。」[5] 種種事實反映，當時國外對中國產品的需求甚眾，反映熱烈。鄭和船隊從南京始發，除帶著具有北方特色的產品外，許多具有南方特色的貨物必然要在福建補充。宋元以來，福州、泉州曾為我國最大的貿易港，是南北貨物集散地。明代，由於福建與江西、浙江等陸路交通的開鑿，省內四大河網運輸的開通，「燕、趙、秦、晉、齊、梁、江、淮之貨，日夜商販而南；蠻海、閩、廣、豫章、楚、甌越、新安之貨，日夜商販而北。」[6] 形成南北貨物大流通的局面。流通之產品，「凡福之紬絲，漳之紗絹，泉之蕉，福延之鐵，福漳之桔，福興之荔枝，泉漳之糖，順昌之紙，無日不走分水嶺及浦城小關，下吳越如流水，其航大海而去尤不可計。」[7] 因而就為鄭和下西洋外交及貿易貨物的供給提供了充足的貨源。

據《星槎勝覽》、《瀛涯攬勝》等書記載，鄭和船隊所帶的商品有印花布、色絹、緞匹、苧絲、青花瓷器、燒珠、銅鐵器物、水銀、雨傘、草席、樟腦等四十餘種貨物。如瓷器供貨方面，在福建越過閩江上游一段山嶺，可與江西信江上游的景德鎮溝通，將著名的景德鎮瓷器沿閩江運抵福州；而浙江龍泉青瓷則可通過浦城南浦溪，沿建溪到閩江，進入福州。閩省著名的德化窯白瓷在元代已很有名，馬可波羅在遊記中曾稱那裏的瓷器「既多且好」。明代，德化的白瓷生產達到高峰，所出瓷器造型美觀、質地細膩、花紋秀麗、色白如玉，馳名中外。其中的象牙白，通體透明，溫潤如脂，淡淡的牙黃釉在日光下微閃肉紅色，被西方稱為「天鵝絨」或「中國白」。而德化著名瓷塑家何朝宗等雕塑的觀音、達摩等佛像，更是線條柔和、雕工精細、造型優美、神韻感人，被稱為「東方藝術的明珠」。所有這些產品都可以通過德化的滻溪，經閩清的大樟溪進入閩江，抵達福州。

福建的茶葉，在宋元御茶園種植的基礎上，到明代大為普及，當時的福泉，延建州府各縣均有生產。《明史‧食貨志》載：「其上供茶，天下貢額四千有奇，福建建甯所貢最為上品，有探春、先春、次春，紫筍及薦新等號。」在製作技術上，朱元璋還下令減去宋元的龍團茶製作工序，「惟令采茶芽以進」，既保持茶葉的原味，又使茶的產量和質量都有所提高。僅武夷山九曲一帶，「不下數百家，皆以種茶為業，歲產數十萬斤，水浮山轉，鬻之四方，而武夷名茶甲於海內矣。」[8] 除了武夷茶之外，當時泉州的清源茶也很有名，清源茶「其味尤香，其功益大，飲之不覺兩液生風。」這些量多質好的福建茶葉必

然成為鄭和下西洋船隊的貨品。

鄭和船隊必不可少的油、鹽、糖品，在福建亦十分豐富。福建面臨東海，海水鹽份較高，《閩書·風俗志》說：「長樂濱海，有漁鹽之利。」從閩東的羅源、長樂到閩南的惠安、晉江、同安、漳州、東山等縣，都有產鹽。明初在福清海口、牛田，惠安的惠安場，晉江潯美，同安的涵州，莆田上裏場等設有鹽場七處，製鹽技術也從宋代的煮鹽改為曬鹽，鹽產量大大提高。明代，福建不僅盛產黑砂糖，而且大量生產白砂糖，以及從砂糖中提煉冰糖，福建生產的蔗糖揚名全國，暢銷海外。特別是：「泉州附山之民，墾壁磽确，植蔗煮糖，黑白之糖行天下。」[9] 此外，福建德化的茶油，興化、惠安的桐油，興化的菜油、柏油也很有名，都可提供充足的貨源。

明代福建的紡織、印染業也非常發達。在染料方面，用於印染的藍靛，在全省各地均有種植，「靛出山谷，利布四方，謂之福建青。」[10] 福州府諸縣皆有，閩侯、長樂尤多。」[11] 在紡織方面，由於出現了改機（織細薄耐用織錦的機器），使織品產量增加，質量提高。延建各府屬無縣不出產苧布。象安溪「女工織冬棉夏葛」[12]，同安「男子力穡，是生吉貝之綿；而女善織布。」[13] 最有名的惠安北鎮布，「細白布通商賈，貨之境外，幾遍天下」；著名的「泉緞」，也是久負盛名，暢銷海內外。明政府為了擴大生產，於宣德三年（1418）在泉州設立「染白」，時至今日，當時的「清白源」遺跡仍保留在泉州東門街。

在造紙方面，《天工開物》說：「凡造竹紙事出南方，而閩省獨專其盛。」[14] 閩省建安、甌甯、建陽、順昌等都是著名的竹子產地，產紙非常有名。竹筍作為重要的經濟作物，「閩中延平屬邑，新筍出土經尺者，皆伐之，曝為明筍（筍乾），歲千萬斤，販行天下，其利無算；又制為紙，利皆以萬計。」[15]

鄭和下西洋帶去的雨傘、樟腦等也多是福建產品。福州雨傘造型輕巧美觀，堅實耐用，歷來是遠銷海外的傳統手工業品。樟腦作為福建的土特產，除閩北山區盛產之外，在元末明初的福州、泉州沿海一帶也都生產。據《馬可波羅遊記》記載：「離開福州市，渡過這條河，往東南方向繼續前進，在五天的路程中，經過一個人煙稠密的地區，途中有許多城鎮、城堡和堅固的住宅，這裏物產富庶，人民生活富裕，道路盤山越嶺，林中有許多灌木、生產樟腦。」從上列的種種福建產品可以看出，鄭和船隊出洋所需的貨物都可以在福建採購到。就地取材、充實朝外交易貨源，亦是船隊駐泊福建長樂港的重要目的之一。

三、有先進的造船技術和嫻熟的航海人才，為航行提供安全保障

鄭和下西洋遠涉重洋，路途遙遠，風高浪急，需要許多堅固耐用的大海船。為了組建遠洋船隊，明朝政府曾多次下令全國各造船中心造船。福建作為東南沿海省份，具有悠久的造船歷史和豐富的造船經驗，也是承擔建造鄭和寶船的重要省份之一。據《明成祖實錄》記載：「永樂元年（1403）五月辛巳，命福建都司造海船百三十七艘。」永樂二年（1404）「癸亥，將遣使西洋諸國，命福建造海船五艘。」[16]

福建負山面海，內陸江河縱橫，水網密布；沿海島嶼星列，港又縱橫，自古有「以舟為車，以楫為馬」、「往若飄風，去則難從」的航海習俗[17]。史載東吳孫皓建衡元年（269）曾在東冶（今福州）設置典船校尉，專治造船；又在連江設置「溫麻船屯」，是吳國的重要造船基地。宋元時期，隨著泉州港升為「東方第一大港」，福建的造船技術更是突飛猛進、名列全國前茅。在宋元兩代的基礎上，到明代更有所發展。明太祖朱元璋曾下令：「賜閩中舡三十六戶，以便貢使往來。」[18] 在福州，當時已能製造出海巨舟。如陳侃出使琉球時，在福州南台「訪於耆民，得之大小廣狹」，製造長15丈、寬2.6丈、深1.3丈，主桅高7.3丈，有23個船倉的大船。「時漳州月港家造過洋大船往來佛郎機諸國，通易貨物。」原來只能造雙桅海船，這時已達到「雙桅習以為常，甚至有五桅者。」[19]《福建通志》記載：「永樂七年（1409）春正月，太監鄭和自福建航海通西南夷，造巨艦于長樂，時稱鄭和為三寶，下西洋，師還閩中，從征將士升賞有差。先是長樂有十洋成市狀元來之讖，至是造舟於此。」船史專家陳延杭先生認為，當時鄭和下西洋的寶船，就是仿宋代的「福船」建造的[20]。

除航海船隻外，福建還為船隊提供了大量的航海人才和水手。在長期的航海活動中，他們不僅熟練的掌握了航海及天文氣象知識，能在驚濤駭浪中截流橫波，而且湧現出一批富有航海經驗的專業人員。如在《七類修稿》「永樂丁亥（1407），命太監鄭和、王景弘、侯顯三人往東南諸賞賜之諭」中的王景弘

是閩南人，侯顯是晉江侯厝人；作為輔佐人員的蒲日和是世居泉州的阿拉伯人，作為主持觀測天氣的陰陽官林貴和是福清人。他們都是鄭和下西洋時「選取駕船民梢中有習慣下海者稱為火長，用作船師，乃以針經圖式付與領執，專一料理、事大責重」者[21]。在長期的實踐中，他們積累了豐富的經驗，掌握了春夏二季航行「若天色溫熱，午時後或風雷聲所作之處，必有暴風，宜急避之；秋冬二季雖無暴雨，每日行船，先觀西方天晴明，由五更至辰時天色光光無變，雖有微風，無論順逆，行船無虞」等航海氣象、船舶導航、船位定向等各方面的豐富知識，為船隊的遠航安全提供了可靠的技術保障。

在鄭和船隊的隨行人員中，還有一支重要的力量，就是武裝人員。這支人數眾多的武裝部隊，主要是抽調沿海各衛所的軍士組成，其中大部分都來自福建衛所。明萬曆何喬遠編的《閩書》中，曾例舉了十多位福州中衛所下西洋的軍官，稱他們在永樂初或永樂中，「以征西洋功升任」，或因下西洋航海勞苦、離家日久而得到「賜鈔」的記載[22]。在《閩書》武軍紀中更有不少「以征西洋功」，而擢官至副百戶、百戶、副千戶、千戶、指揮使者的記錄。如他們當中的：「柳興，莆田人。永樂初隨太監鄭和下西洋，有殺賊功，曆升百戶。」又如在南京充軍的永春人劉孟福的族譜云：「孟福，生明建文已卯年，卒宣德辛亥十二月十一日，年三十三。在南京充軍，從中官往番邦，死在思門達劣（蘇門答臘）。」保存在中國第一歷史檔案館的《衛所武職選簿》中，也有福建衛所官兵參加鄭和下西洋的活動記錄。如該資料《福州右衛選簿・前軍福建都司》下舉諸條[23]：

〈五輩韓瑜世襲百戶〉一輩韓大，二輩韓貴，舊選薄查有宣德八年二月韓貴係福州右衛右所試百戶韓大嫡長男，父原係總旗，因下西洋于白沙岸與蘇幹刺對敵廝殺有功，除前職；欽准本人襲授世襲百戶。

〈七輩李炫　試百戶〉外黃查有李仕迪，新寧縣人，高伯祖李牛，丙申年歸附充軍故，高祖李隆戍補役。永樂三年西洋公幹，四年舊港外洋廝殺獲功，升小旗；五年西洋公幹，七年升總旗；九年西洋公幹，十三年升試百戶。

另如《建甯左右衛選簿・前軍福建都司》、《汀州衛選簿・前軍福建都司》等相應的記載中，也都有福建各衛所官兵隨鄭和下西洋的記載。我們從《閩書》和其他有關資料記載中，推測當時福建都司和福建行都司所轄的十六個衛所絕大部分都選派了官兵參與鄭和下西洋得活動。

從以上列舉的資料可以充分證實，鄭和在歷次下西洋活動中，之所以選擇長樂港靠泊，除其具有天然良港的條件外，與福建人民在物質、造船技術、人才等方面能提供巨大的支援有密切關係。可以說，福建軍民在鄭和下西洋活動歷史上所做出的巨大貢獻，將會永載史冊的。

注釋：
1 《明史》卷九十一。
2 《明史》卷一二三。
3 《明史》卷九一。
4 馬歡：《瀛涯勝覽》天方國。
5 馬歡：《瀛涯勝覽》錫蘭國。
6 李鼎：《李長卿集》。
7 《閩部疏》。
8 董天工：《武夷山志》卷二一。
9 何喬遠：《閩書》卷之七。
10 王應山：《閩大記》卷十一。
11 《八閩通志》卷二十五。
12 嘉靖《安溪縣誌》卷一。
13 弘治《興化府治》卷十二。
14 《天工開物》卷十三。
15 李世熊：《寧化縣誌》卷二。
16 《明永樂實錄》卷二七。
17 袁康：《越絕書》越絕外傳・記地傳。
18 《明史》卷三二三。

19 席龍飛、何國衛：《試論鄭和寶船》，《武漢水運工程學報》1983年第3期。
20 陳延杭：《鄭和寶船為福船型考》；《鄭和與福建》編輯組：《鄭和與福建》。
21 吳寬：《吳文定公匏翁家藏集》卷七五。
22 《明成祖實錄》卷七八。
23 轉引自徐恭生：《明初福建衛所與鄭和下西洋》，《海交史研究》1995年第2期。

鄭和史跡與文物

長樂大王宮鄭和及其部將塑像(複製品)
Zheng He Sculpture from the Lord of Changle Temple
尺寸：高160公分，底座邊長80公分。
重量：約50公斤
材質：脫胎
典藏：長樂市鄭和史跡陳列館

　　長樂大王宮(顯應宮)始建于宋代，歷代重修。清光緒年間湮沒於地下。1992年6月修建長樂國際機場時重新被發現。共出土宋代至清代巡海大臣及海神等泥製塑像五十餘件。本組泥塑爲鄭和及其部將，共七尊，顏面衣冠儀態生動，據研究係明神宗萬曆末年所塑製，爲目前所發現的最早鄭和塑像。

　　The Lord of Changle Temple Temple was first built in Sung Dynasty and buried since Late Qing Dynasty. It was excavated in 1992. This sculpture of Zheng He was nicknamed "God of the Voyages" by local people.

清代鄭和木刻像
Zheng He Sculpture
尺寸：長67公分、寬35公分。
材質：木
典藏單位：泉州閩台關係史博物館

　　鄭和神態祥和，頭戴黑色宦官帽，身內著戰袍(只露一角)，外穿紅色龍袍，右手拿一物，左手伸掌放于左腿上，兩足穿靴露出，坐於座上。座已失。據羅懋登《三寶太監西洋記通俗演義》第十五回記載，鄭和相貌是「面如橘皮，孤刑有準，印堂太窄，妻子難留。」

鄭和劍
Sword of Zheng He
Period：Ming
尺寸：通長100公分
材質：鋼
年代：明
王度收藏

　　劍鞘爲魚皮質，嵌獅紋其上；劍身爲精鋼鑄造，韌性佳；劍柄末端獅紐內藏一枚銅印，印文陽刻楷書「鄭和」兩字。

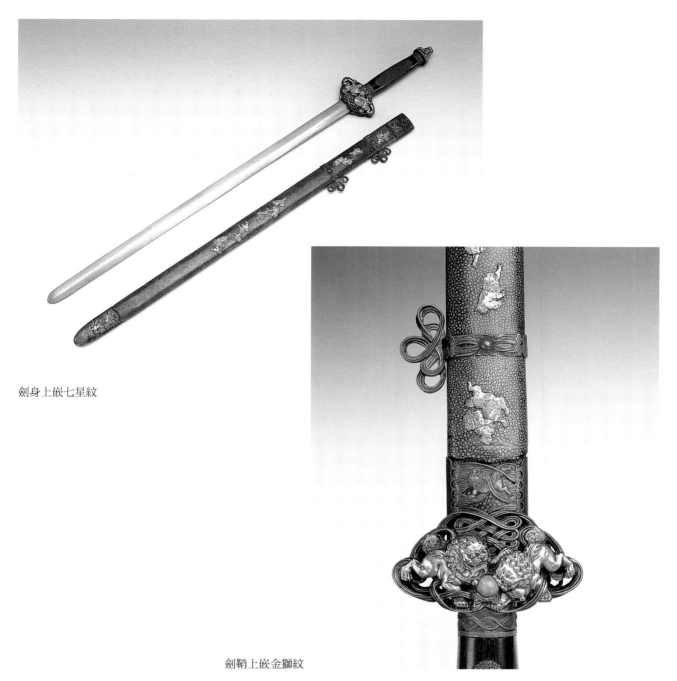

劍身上嵌七星紋

劍鞘上嵌金獅紋

鄭和印

劍柄獅紐

27

東廠雙刀
Double Sword of Dong Chang
Period：Ming
尺寸：通長97公分
材質：鋼
年代：明
王度收藏

　　劍鞘為牛皮質，雙刀合鞘；刀身為鋼鑄，
極重；刀炳末端分別刻「東」「廠」兩字。案
「東廠」設置於永樂十八年，專司內外偵伺，由
宦官主之，此或為當時「東廠」人員的佩刀。

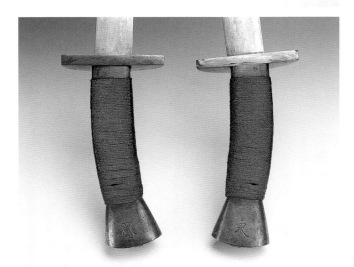

鄭和鐘（複製品）

Zheng He Bell (replica)

尺寸：通高100公分，口徑49公分，壁厚約2公分。

重量：約100公斤

材質：銅

典藏：福建博物院

　　龍鈕。鄭和鐘身肩飾如意紋，腹部自上而下分三層紋飾：第一層爲八卦紋；第二層爲雲氣水波紋；第三組楷書「風調雨順、國泰民安」，及銘文「太監鄭和王景弘等同官軍人等發心鑄造銅鐘一口永遠長生供養祈保西洋往迴平安吉祥如意者大明宣德六年歲在辛亥仲夏吉日」，此鐘爲鄭和第七次下西洋前夕駐泊長樂期間所鑄。原件藏中國國家博物館。

　　On the eve of his seventh voyage, Zheng He forged this bell in Changle. The inscription serves as a wish for Bon Voyage: "By forging this bell, Zheng He, Wang Chin Hong, and the entire troop pray for a safe and successful voyage."

長樂鄭和史跡陳列館

天妃行宮柱礎遺存

天妃靈應記碑拓片
Rubbing of the Tien Fei Stele
尺寸：長157公分、寬75公分。
材質：紙
典藏：長樂市鄭和史跡陳列館

　　「天妃靈應記碑」是明宣德六年(1431年)鄭和第七次下西洋前夕親手於長樂南山天妃廟立。碑文記述前六次下西洋情形，全文共1177字，係鄭和親撰。是研究鄭和下西洋最重要的文獻和文物資料之一。（右上圖是長樂鄭和史跡陳列館，現址即當年長樂南山天妃廟所在地；現還有當時廟宇的柱礎遺存。）

In folk belief, Tien Fei is the goddess who protects sea-going people; one temple of hers can be found in Changle, a port inseparable with Zheng He's voyages. On the eve of Zheng's seventh, and last, voyage, he personaly summarized his earlier six voyages in an inscription of 1177 words and set up this stele in Tien Fei Temple. This inscription is an important document to understand Zheng He's voyages.

天妃靈應之記

　　皇明混一海宇，超三代而軼漢唐，際天極地，罔不臣妾。其西域之西，迤北之國，固遠矣，而程途可計。若海外諸番，實為邈壤，皆捧珍執贄，重譯來朝。皇上嘉其忠誠，命和等統率官校旗軍數萬人，乘巨舶百餘艘，齎幣往賚之，所以宣德化而柔遠人也。自永樂三年，奉使西洋，迨今七次，所歷番國，由占城國、爪哇國、三佛齊國、暹邏國，直踰南天竺、錫蘭山國、古里國、柯枝國，抵於西域忽魯謨斯國、阿丹國、木骨都束國，大小凡三十餘國，涉滄溟十萬餘里。

　　觀夫海洋，洪濤接天，巨浪如山，視諸夷域，迥隔於煙霧縹緲之間，而我之雲帆高張，晝夜星馳，涉彼狂瀾，若履通衢者，誠荷朝廷威福之致，尤賴天妃之神護祐之德也。神之靈固嘗著於昔時，而盛顯於當代。溟渤之間，或遇風濤，既有神燈燭於帆檣，靈光一臨，則變險為夷，雖在顛連，亦保無虞。及臨外邦，番王之不恭者，生擒之，蠻寇之侵略者，剿滅之。由是海道清寧，番人仰賴者，皆神之賜也。

　　神之感應，未易殫舉，昔嘗奏請于朝，紀德太常，建宮於南京龍江之上，永傳祀典。欽蒙御製記文，以彰靈貺，褒美至矣。然神之靈，無往不在。若長樂南山之行宮，余由舟師屢駐於斯，伺風開洋，乃於永樂十年奏建，以為官軍祈報之所，既嚴且整。右有南山塔寺，歷歲久深，荒涼頹圮，每就修葺。數載之間，殿堂禪室，弘勝舊規。今年春，仍往諸番，蟻舟茲港。復修佛宇神宮，益加華美。而又發心施財，鼎建三清寶殿一所，於宮之左，彤妝聖像，粲然一新。鐘鼓供儀，靡不俱備。僉謂如是，庶足以盡恭事天地神明之心，眾願如斯，咸樂趨事。殿廡宏麗，不日成之，畫棟連雲，如翬如翼。且有青松翠竹，掩映左右，神安人悅，誠勝境也。斯土斯民，豈不咸臻福利哉！人能竭忠以事君，則事無不立；盡誠以事神，則禱無不應。和等上荷聖君寵命之隆，下致遠夷敬信之厚，統舟師之眾，掌錢帛之多，夙夜拳拳，唯恐弗逮，敢不竭忠於國事，盡誠於神明乎，師旅之安寧，往迴之康濟者，烏可不知所自乎？是用著神之德于石，併記諸番往迴之歲月，以貽永久焉。

　　永樂三年，統領舟師至古里等國。時海寇陳祖義，聚眾三佛齊國，劫掠番商，亦來犯我舟師，即有神兵陰助，一鼓而殄滅之，至五年迴。

　　永樂五年，統領舟師往爪哇、古里、柯枝、暹邏等國，番王各以珍寶、珍禽、異獸貢獻，至七年迴還。

　　永樂七年，統領舟師，往前各國，道經錫蘭山國，其王亞烈苦奈兒，負固不恭，謀害舟師，賴神顯應知覺，遂生擒其王，至九年歸獻。尋蒙恩宥，俾歸本國。

　　永樂十一年，統領舟師，往忽魯謨斯等國，其蘇門答臘國有偽王蘇幹，寇侵本國，其王宰奴里阿比丁，遣使赴闕陳訴，就率官兵剿捕。賴神默助，生擒偽王，至十三年迴獻。是年滿剌加國王，親率妻子朝貢。

　　永樂十五年，統領舟師往西域，其忽魯謨斯國進獅子、金錢豹、大西馬。阿丹國進麒麟，番名祖剌法，並長角馬哈獸。木骨都束國進花福鹿，並獅子。卜剌哇國進千里駱駝，並駝雞。爪哇、古里國，進縻里羔獸。若乃藏山隱海之靈物，沈沙棲陸之偉寶，莫不爭先呈獻。或遣王男，或遣王叔、王弟，齎捧金葉表文朝貢。

　　永樂十九年，統領舟師，遣忽魯謨斯等國使臣久侍京師者，悉還本國，其各國王益修職貢，視前有加。

　　宣德六年，仍統舟師往諸番國，開讀賞賜，駐舶茲港，等候朔風開洋。思昔數次，皆仗神明助佑之功，如是勒記於石。

　　宣德六年歲次辛亥仲冬吉日。正使太監鄭和、王景弘，副使太監李興、朱良、周滿、洪保、楊真、張達、吳忠，都指揮朱真、王衡等立。正一住持楊一初稽首請立石。

鄭和行香碑所在的泉州靈山聖墓

鄭和行香碑拓片
Rubbing of the Stele of Zheng He's Prayer
尺寸：長89.3公分、寬42公分。
材質：紙
典藏：泉州閩台關係史博物館

　　為明永樂十五年鄭和第五次下西洋前夕，在泉州東郊靈山聖墓行香，祈求聖靈保祐船隊平安，出使成功所刻立之碑。原碑今仍豎立於原址。鄭和是回教徒，而泉州靈山所葬的二位回教聖者，便是唐代前來中國傳播回教最早的四位大賢中的兩位。

　　On the eve of his fifth voyage, Zheng He prayed at the Ling Shan holy graveyard on the eastern Quanzhou, supplicating that his fleet could successfully complete the mission and safely return. The two muslim saints buried in the Ling Shan holy graveyard were among those who first preached Muslim in China in Tang Dynasty.

鄭和傳

　　鄭和，雲南人，世所謂三保太監者也。初事燕王於藩邸，從起兵有功，累擢太監。

　　成祖疑惠帝亡海外，欲蹤跡之，且欲耀兵異域，示中國富強。永樂三年六月命和及其儕王景弘等通使西洋。將士卒二萬七千八百餘人，多齎金幣。造大舶，修四十四丈、廣十八丈者六十二。

　　自蘇州劉家河泛海至福建，復自福建五虎門揚帆，守達占城，以次遍歷諸番國，宣天子詔，因給賜其君長，不服則以武懾之。五年九月，和等還，諸國使者隨和朝見，和獻所俘舊港酋長。帝大悅，爵賞有差。舊港者，故三佛齊國也，其酋陳祖義，剽掠商旅。和使使招諭，祖義詐降，而潛謀邀劫。和大敗其眾，擒祖義，獻俘，戮於都市。

　　六年九月再往錫蘭山。國王亞烈苦柰兒誘和至國中，索金幣，發兵劫和舟。和覘賊大眾既出，國內虛，率所統二千餘人，出不意攻破其城，生擒亞烈苦柰兒及其妻子官屬。劫和舟者聞之，還自救，官軍復大破之。九年六月獻俘於朝。帝赦不誅，釋歸國。是時，交阯已破滅，郡縣其地，諸邦益震讋，來者日多。

　　十年十一月復命和等往使，至蘇門答剌。其前偽王子蘇幹剌者，方謀弒主自立，怒和賜不及己，率兵邀擊官軍。和力戰，追擒之喃渤利，並俘其妻子，以十三年七月還朝。帝大喜，賚諸將士有差。

　　十四年冬，滿剌加、古里等十九國咸遣使朝貢，辭還。復命和等偕往，賜其君長。十七年七月還。十九年春復往，明年八月還。二十二年正月，舊港酋長施濟孫請襲宣慰使職，和齎敕印往賜之。比還，而成祖已晏駕。洪熙元年二月，仁宗命和以下番諸軍守備南京。南京設守備，自和始也。宣德五年六月，帝以踐阼歲久，而諸番國遠者猶未朝貢，於是和、景弘復奉名歷忽魯謨斯等十七國而還。

　　和經事三朝，先後七奉使，所歷占城、爪哇、真臘、舊港、暹羅、古里、滿剌加、渤泥、蘇門答剌、阿魯、阿枝、大葛蘭、小葛蘭、西洋瑣里、瑣里、加異勒、阿撥把丹、南巫里、甘把里、錫蘭山、喃渤利、彭亨、急蘭丹、忽魯謨斯、比剌、溜山、孫剌、木骨都束、麻林、剌撒、祖法兒、沙里灣泥、竹步、榜葛剌、天方、黎伐、那孤兒，凡三十餘國。所取無名寶物，不可勝計，而中國耗費亦不貲。自宣德以還，遠方時有至者，要不如永樂時，而和亦老且死。自和後，凡將命海表者，莫不盛稱和以夸外番，故俗傳三保太監下西洋，為明初盛事云。

　　當成祖時，銳意通四夷，奉使多用中貴。西洋則和、景弘，西域則李達，迤北則海童，而西番則率使侯顯。(《明史》卷三百零四・宦官列傳一)

王景弘傳

　　王景弘，明漳州府龍岩縣集賢里香寮村人（今福建漳平市赤水鎮香寮村）。早年入宮為宦，後參與明成祖「靖難」之役有功而受信任，於永樂三年起，奉命與鄭和同為正使，一起從事下西洋的壯舉。

　　景弘隨鄭和前後七次下西洋，主要負責統管航海技術方面事務。如船隻督造、水手徵集及訓練、物資籌措、航行技術的掌握等，皆是其專長。他與鄭和同心協力、合作無間，終完成舉世無匹的航海事業。其第七次下西洋前，明宣宗特別賜詩，獎勵他說：「昔時命將爾最忠，大船摩拽馮夷宮；驅役飛廉決鴻蒙，遍歷島嶼凌巨谷。」可謂信任踰他人。

　　宣德八年（公元1433年）鄭和在第七次下西洋途中，病逝於古里。景弘率船隊安然返回中國，不辱使命。宣德九年，因蘇門答臘使者死於中國，景弘再奉命前往西洋。因此他一生前後共八次下西洋。

　　羅懋登《三保太監西洋記演義》及一些以鄭和下西洋為故事的小說或戲劇中，常將王景弘描寫為與鄭和作對的反派人物，這是不對的。事實上王景弘與鄭和始終友好，第三次下西洋時發生的錫蘭山之役，正是由於他們彼此信任，鄭和才能以寡擊眾、獲得勝利。迄今東南亞及台灣都有許多關於王景弘的傳說。如《台灣志略》便記載王景弘在台灣用藥水為土蕃治病；《鳳山縣志》更記載王景弘於岡山植薑嘉惠土著。而東南亞地區則長久以來傳說有一種神鳥叫「箭鳥」，每當船行海上快發生危險或迷航時，牠就會出現，水手只要照著牠的方向航行就會得到安全。而此鳥即王景弘下西洋時馴養的。據清人郁永河《裨海記游》，和黃叔敬《台海使槎錄》載，王景弘曾撰有《赴西洋水程》一書，保存了許多寶貴的航海知識與見聞。如是，他在十五世紀世界航海史上確實是一位偉大的領航者。

　　關於鄭和船隊成員的組成，據馬歡《瀛涯勝覽》記載：「官校、旗軍、勇士、通事、民稍、買辦、書手，通計二萬七千六百七十員名。官八百六十八員，軍二萬六千八百名，指揮九十三員，都指揮二員，千戶一百四十員，百戶一百零三員，戶部郎中一員，陰陽官一員，教諭一員，舍人二員，醫官、醫士一百八十員，餘丁二名，正使太監七員，監丞五員，少監、內官內使五十三員。」另外，祝允明《前聞記》的「下西洋」條，則記載：「官校、旗軍、火長、舵工、班碇手、通事、辦事、書算手、醫士、鐵錨、木艌、搭材等匠、水手、民稍人等，共二萬七千五百五十員名。」可知王景弘在鄭和船隊中地位是很高的。

王景弘塑像
Sculpture of Wang Chin Hong
尺寸：高75公分、肩寬62公分。
重量：約20公斤
材質：玻璃纖維
典藏：長樂市鄭和史跡陳列館

　　王景弘，漳州府龍岩縣(今屬漳平市)人。早年入宮爲宦，得明成祖信任。明永樂三年與鄭和同爲下西洋正使，共同率船隊七下西洋。王景弘在船隊中主管航海技術方面的事務。

Wang Chin Hong, an eunuch trusted by Emperor Yongle, joined Zheng He to the seven voyages. He was in charge of navigational technology in the fleet.

鄭和啟航油畫

Commencement of Zheng He's Voyage

尺寸：高151公分、寬211公分。

材質：紙

典藏：長樂市鄭和史跡陳列館

　　描述鄭和船隊從長樂太平港啟航出海情景。圖中立於台階上身穿白色官服、手握配劍者即鄭和。鄭和前方的阿拉伯人為其艦隊領航員蒲日和。

This painting depicts the commencement of Zheng's voyage from Changle.

十洋成市圖

Shi Yang City

尺寸：高96公分、寬68公分。

材質：木、紙。

典藏：長樂市鄭和史跡陳列館。

　　鄭和每次下西洋前都要駐紮在長樂等待季風，其大軍駐留時間往往長達半年，數萬人食息補給於城南十洋街，久之自然形成人物轕集的城市。《長樂縣志》記載：「十洋仁澤坊口市相沿已久，十洋市國初因三寶太監使西洋造舟於此，人眾成市，馬(鐸)李(騏)狀元興焉，故識云十洋成市狀元來。」此圖即描繪其街市盛況。

Zheng He's troops will be stationed in Changle, sometimes for six months, waiting for proper winds. For more than ten thousands of people living in Shi Yang street south of Changle. Gradually it becomes a small city in itself. This painting depicts the coming and going of that city.

鄭和船隊「寶船」模型

Models of Zheng He's Fleets: Treasure Ship

尺寸：長146公分、寬58公分，高90公分。

材質：木、竹。

典藏：長樂市鄭和航海館

　　鄭和乘坐的帥船，是船隊的主體。福船型。長125.65公尺，寬50.9公尺，最大排水量14800噸，最大載重量7000噸，推算吃水8公尺，9支桅杆，12張帆。

The flagship of Zheng He's fleet.

鄭和船隊「座船」模型
Models of Zheng He's Fleets: Troop Ship
尺寸：長72公分、寬28公分，高66公分。
材質：木、竹。
典藏：長樂市鄭和航海館

　　船隊中運載官兵的客船。福船型。長67.9公尺，寬19.4公尺，最大載重量2000噸，推算吃水5公尺，5支桅杆。

This type of ship is used to carry troops.

鄭和船隊「馬船」模型

Models of Zheng He's Fleets: Horse Ship

尺寸：長125公分、寬46公分，高86公分。

材質：木、竹。

典藏：長樂市鄭和航海館

　　大型、快速，用於水戰和運輸用海船。水密隔艙、多層板結構，福船型。長104.7公尺，寬42.4公尺，推算吃水7.6公尺，7支桅杆。

This large and speedy ship is used for battle and transportation.

鄭和船隊「糧船」模型
Models of Zheng He's Fleets: Supply Ship
尺寸：長90公分、寬40公分，高80公分。
材質：木、竹。
典藏：長樂市鄭和航海館

　　船隊所需糧食供應和儲備用船。福船型。長79.2公尺，寬34公尺，推算吃水6公尺，6支桅杆。爲供應船隊2萬多名官兵一個多月糧食之需，估計船隊中的糧船應有多艘。

　　This type of ship carries food and other supply for the fleet. There may be several supply ships in the fleet, carrying one month's food supply for more than twenty thousand personnels.

鄭和船隊「戰船」模型

Models of Zheng He's Fleets: War Ship

尺寸：長62公分、寬22公分，高50公分。

材質：木、竹。

典藏：長樂市鄭和航海館

　　船隊作戰和護航用船。福船型。長50.9公尺，寬19.2公尺，最大排水量
1700噸，最大載重量850噸，推算吃水4公尺，3支桅杆。

This type of ship is used for battle and guard missions.

鄭和船隊「水船」模型

Models of Zheng He's Fleets: Water Ship

尺寸：長45公分、寬18公分，高47公分。

材質：木、竹。

典藏：長樂市鄭和航海館

　　船隊航行中補充供應各船所需淡水，或停泊時從江河汲水供應各船所需
淡水的船舶。單帆，多槳、櫓推進，可快速穿梭於各船之間。

This speedy ship carries fresh water for the fleet. It can shuttle among the ship
and provide fresh water for the sailors.

鄭和船隊「大八櫓」模型
Models of Zheng He's Fleets: Greater Eight-oared Ship
尺寸：長40公分、寬18公分，高43公分。
材質：木、竹。
典藏：長樂市鄭和航海館
　　用於船隊之間或船至岸邊的交通，各船的拖曳，船隊的防衛等。多槳、櫓推進，快速、輕便。

This type of ship establishes contact among the fleet or serves as the transportation between the fleet and the coast. The multiple oars on the ship make it a speedy vessel.

鄭和船隊「二八櫓」模型
Models of Zheng He's Fleets: Lesser Eight-oared Ship
尺寸：長40公分、寬16公分，高43公分。
材質：木、竹。
典藏：長樂市鄭和航海館
　　船隊交通，拖曳，防衛等用船。

This type of ship serves as tugboat, transportation and defense.

鄭和船隊「六櫓船」模型
Models of Zheng He's Fleets: Six-oared Ship
尺寸：長40公分、寬18公分，高43公分。
材質：木、竹。
典藏：長樂市鄭和航海館
　　船隊交通，拖曳，防衛等用船。

This type of ship serves as tugboat, transportation and defense.

古今對照鄭和航海圖

Map of Zheng He's Voyages

此圖係根據茅元儀《武備志》等相關資料重新繪製，中華鄭和學會提供。

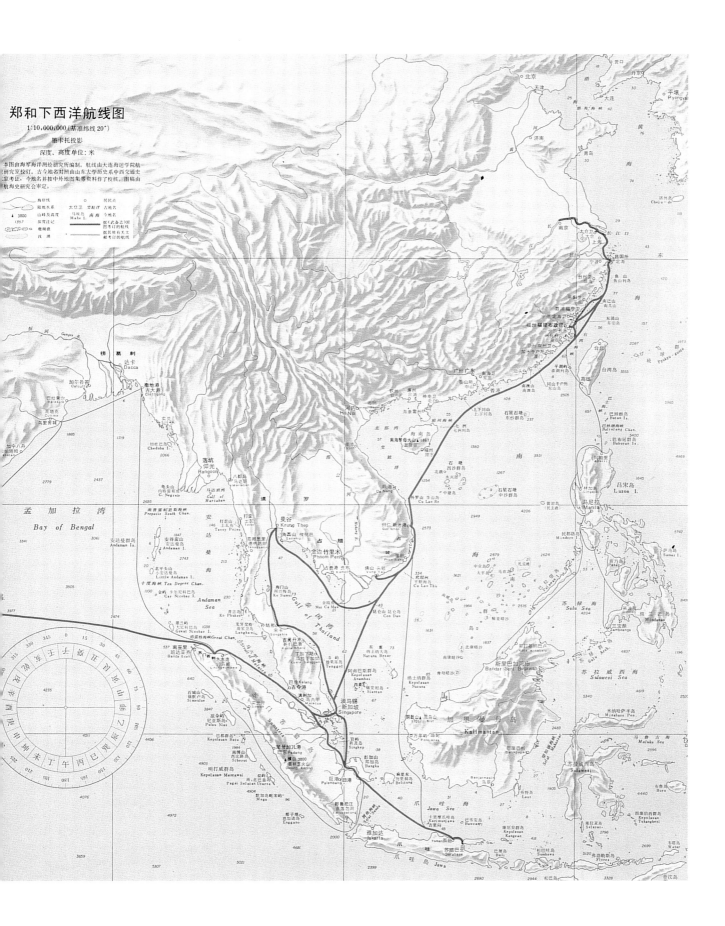

郑和下西洋航线图

鄭和航海全圖

Map of Zheng He's Voyages

尺寸：長330公分、寬26公分。

材質：紙。

典藏：長樂市鄭和史跡陳列館。

　　原名「自寶船廠開船從龍江關出水直抵外國諸番圖」，載於明代茅元儀所編《武備志》。據考係根據鄭和七次下西洋繪製。圖中詳繪長江口至東南亞，及印度洋沿岸海陸特徵，標明的中外地名有五百餘個，航路五十六條。並附四張牽星過洋圖（見右頁下）。在當時是非常實用的航海圖，今日則是重要的古代航海文獻。

This map is believed to be drawn up according to Zheng He's seven voyages. More than five hundred locations, within and without China, are marked up in the map, along with 56 routes. It is an important document about ancient navigation.

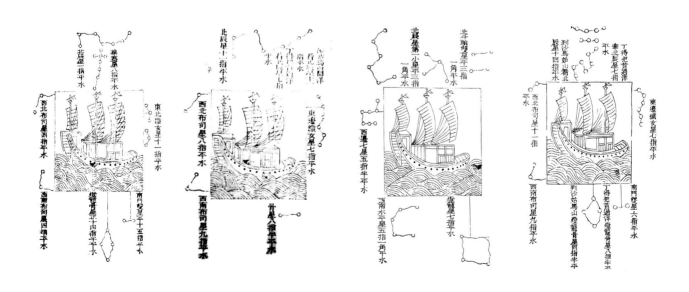

鄭和航海圖

　　《鄭和航海圖》原名是《自寶船廠開船從龍江關出水直抵外國諸番圖》，因其名冗長，後人以其內容符合鄭和下西洋所經路線，認為係根據鄭和的航海記錄而繪製，故簡稱為《鄭和航海圖》。原圖成一字型長卷，收入茅元儀所編《明太宗實錄‧武備志》時改為書本式，自右而左，有序一頁，圖面二十頁，最後附《過洋牽星圖》兩頁。該圖可視為鄭和下西洋的偉大航海成就之一。它繼承前人航海經驗的基礎，以鄭和船隊的遠航實踐為依據，經過加工繪製而成，是世界上現存最早的航海圖集。

　　圖上所繪基本航路以南京為起點，沿江而下，出海後沿海岸南下，經中南半島、馬來半島海岸，穿越麻六甲海峽，過錫蘭山（今斯里蘭卡）到達溜山國（今馬爾地夫）。由此分為兩條航線，一條橫渡印度洋到非洲東岸；另一條從溜山國橫渡阿拉伯半島到忽魯謨斯。圖中對山嶽、島嶼、橋樑、寺院，城市等物標，均採用中國傳統山水畫的立體寫景形式描繪，形象直觀，易於在航行中辨認。主要國家和州、縣、衛、所、巡司等則用方框標出，以示其重要。圖上共繪記五百三十多個名稱，包括亞非洲海岸及三十多個國家和地區。往返航線各五十多條，航線旁所標注的針路、更數等導航定位數據，具有實用價值。充分說明當時中國海船的遠航經驗甚為豐富，航海技術已相當完善。

　　《鄭和航海圖》具有以下特點：

　　一、　各圖幅體現了各種航程需要：譬如從南京到太倉的航線內和航行，需沿河道不斷改變航向。因此圖上不註明針路和更數。由於主要根據兩岸物標進行定位和導航，圖上對兩岸的地形、地物描繪詳細。又如自太倉至蘇門達剌以至印度半島的東西海岸，主要是沿岸和近海航行，除了用羅盤導航外，並以山頭、島嶼為目標，因此圖上繪有明顯的山峰和地物，並在主要航線上註記指針更數為何，以確保航行，自溜山國至忽魯謨斯因是遠洋航行安全。圖幅除註明基本針路外，還加註了牽星數據，便於利用天文導航。

　　二、　突顯航行相關要素：該圖是寫景式的海圖，屬於針路圖系統，專供航海用，故特別註明在航海圖上。其作用一是為突顯標明航行的針路（航向）和更數（航程）；二是為了定位導航的需要，將顯著目標畫成對景圖，便於識別、定位；三是用文字說明轉向點位置和測量定位的水深數，並註明牽星數據。這些都是保證航行安全的基本要素。

　　三、　圖幅配置以航線為中心：《鄭和航海圖》上的方位不是以北上南下繪製，而以航線為主軸，整個航線從又向左連貫展開。由於這些航線的原本向位不同，因此圖幅方位也隨之變化。如南京至太倉航線，原是自西向東，而圖上繪成從右至左，圖幅方位就成為右西左東。上南下北的例子如出長長江口後，沿大陸海岸的航線基本是由北向南，但圖上航線還是由右而左，圖幅方位又成為右北左南，上西下東。如此繪製成的航海圖方位雖不統一，卻便於航行實際使用。

　　四、　根據當時製圖技術水平，該圖不可能按數學投影方法和經緯座標以及一定比例繪製，而是以航海實用性為特點，標示導航。該圖集不只對海洋導航有承先啟後的意義，對後人研究中國古代航海史和亞非航線開發極具參考價值。

　　《鄭和航海圖》是鄭和船隊遠航的重要圖籍與物證。現代英國科學家李約瑟在《中國科技史》一書中指出：「關於中國航海圖的精確性問題，米爾斯（Mills）和布萊格（Blagdon）曾作過仔細研究，他們兩人非常熟悉整個馬來半島的海岸線，而他們對中國航海

圖的精確性評價甚高。此外，馬爾德（Mulder）最近還從領航員的角度研究過這些資料。這些圖上遇有海島的地方，一般都繪有外線和內線，有時還為往程與返程分別畫出可供選擇的航線。…誤差一般不超過五度，這對1425年的舵工來說，是極好的成績。」這番話就實際驗證，肯定鄭和航海圖的科學評價。

中國古代船舶

中國古代船舶之演進

　　中國境內最早的船隻出現在距今一萬年前的舊石器時代晚期。而距今七千年前的浙江河姆渡文化則出土多件木製帶柄的船槳。結合各地考古出土的實物看，上古時代的船多由獨木舟演進而來。

　　商代甲骨文有「舟」字，也有用船追捕奴隸的記載。周興之際更有戰船。《爾雅》記述周代船制謂：「天子造舟，諸侯維舟，大夫方舟，士特舟，庶人乘桴。」河北平山縣戰國時期古墓葬中曾發現葬船坑，出土的木船最大者長13.1公尺，寬2.3公尺，船體用鐵片連接固定。當時各國往來交通已普遍用船，除了文獻記載外，青銅器上也留有不少水上戰鬥的圖像。南方的楚和吳、越等國造船技術比較先進，已發展出帆，和槳、舵並用的動力裝置。

　　秦、漢時代，因應帝國統治需要，船舶有重大發展。此時的船舶不但航行於內陸江河之上，也可遠渡重洋；操帆技術更成熟，還出現了石碇及木碇。船體也比以前大，形式更是多樣；其中最有名的便是「樓船」，其上有宮室，可載千人，戈矛旌旗森嚴，彷彿水上城堡。

　　魏晉南北朝時戰船發展迅速，南北各有龐大的水師，其精良與否成為一國興亡所繫，如吳蜀抗曹、西晉滅吳，及南北朝的對抗等，都以水師及戰船優劣為關鍵。有些戰役雙方調動的船隻總數往往超過萬艘。

　　唐代船舶發展逐漸出現規範化。朝廷設有管理船務的機構，在沿江和沿海地區都設有造船場。公私船隻數量之多遠超前代，並出現一些新船種和新技術。如「沙船」與「福船」便首先出現於此時。前者是平底船，吃水淺，多航行於北方海域及內陸多灘的江河之上；後者為尖底船，吃水深，利於遠洋航行，主要造於泉州。江蘇揚洲和如皋曾出土唐代木船，船體長度都在17公尺以上，都有水密艙結構，是世界船舶演進史上的重大發明。

　　宋、元時期，造船技術隨著城市經濟興起與天文地理知識的進步而更向前發展。文獻記載此時流行一種裝有輪槳的船，稱為「車船」，是宋朝水師的主力。福建泉州後渚港曾出土一艘南宋末年的海船遺物，船體長24.4公尺，寬9公尺，有十三個水密隔倉，船殼板用二至三層木板疊合，反映出兩宋堅實的造船技術。山東蓬萊則出土一艘元代戰船，長28.6公尺，寬5.6公尺，船體有十四道隔艙板，龍骨由兩段方木連接，有兩個桅座，船內還有滑輪架、滑輪、鐵釘、鐵錨、鐵砲等物。是目前宋元時代船體實物中最大者。實際上，宋元時代的船遠大於此，如《清明上河圖》中所繪汴河上的大型漕船，光是操舵者前後便有十幾人，估計船長近40公尺。此時已用指南針航行，並有針路記載。當時公私造船皆有圖樣，用料也有定制；可能還出現了世界上第一個船塢。據載此時中國船已遠航至波斯灣海域。

　　明、清時期，漕運發達，船舶製造亦以供應漕運為主。海船方面以明初為盛，鄭和七下西洋所乘用的船艦有大至六千料的九桅船者。長江下游的龍江船場和清江船場是最重要的造船中心，其遺址均發掘出大型的船體構件。明中葉後，為抵抗倭寇侵擾，沿海戰船製造頗為蓬勃；但政府不鼓勵海外貿易，致造船事業停滯不前；而歐洲航海事業方興，不久即凌駕中國矣！

The Evolution of Chinese Ships

The earliest ship in China appeared in late Paleolithic Period ten thousand years ago. Many wooden oars with handle were excavated, which dated back to as early as seven thousand years ago. Judging from the various excavated artifacts, it is safe to infer that ancient ships evolved from canoes.

In the Shang Dynasty, there was a word refering to ship; there were also records of chasing slaves with ships. During the Zhou period warring ships began to appear. In Erya, the Confucian dictionary, a graded designation was given about different kind of ships for different class of people. In ancient tombs from the Warring States period a ship was found in the burial site, the largest of which was 13.1 meters long and 2.3 meters wide. At that time, ships were common means of transportation, as seen in many documents; battles over the water were inscribed on bronze wares. Generally, the southern states had more advanced shipwright technology.

During the Qin and Han period, new needs to control arose in the empire led to rapid development in shipwright technology. Ships of this period can sail in the inland rivers as well as on the seas; sails were employed along with wooden and stone anchors. New forms of ship emerged, the most notable of which was Louchuan, or floor ship, having the capacity of one thousand crews. As a castle over the water it sailed. Later in the Wei-Jin period, navy became the key to the fate of a kingdom. Sometimes, more than ten thousand of ships were employed during one battle.

Tang Dynasty witnessed a regularization of ships. The government set up institutions to manage ships and shipyards were established on the coast area. New forms of ship appeared, such as Shachuan and Fuchuan. Shachuan was flat bottom ship, sailing in northern sea area or inland rivers; Fuchuan was v-shaped bottom ship, sailing in the open seas. Tang ships longer than 17 meters were excavated in Jiansu; the watertight chambers within these ships made it a great invention in the evolutionary history of ships.

In Song and Yuan period, shipwright technology underwent further advancement due to the city economy and the development in astronomical and geographical knowledge. According to documents, the primary force of Song Dynasty was Chechuan, or car ship, equipped with wheel-like oars. One Yuan battle ship was excavated, which was 28.6 meters long and 5.6 meters wide; there was 14 watertight chambers and equipped with fairlead, wheels, nails, iron anchors, and cannons. It was the biggest of its kind in that period. In fact, there was bigger ships in that period, as depicted in paintings, that needed dozens of people to handle the helm and reached as long as 40 meters long. Compass was adopted and ships were believed to sail to Persian Gulf. Public and private shipwrights had their own set designs and materials.

In Ming and Qing period, ships were used to transport grains to the Capital. Sea-going ships prospered in early Ming Dynasty; in Zheng He's fleet, nine-masted ships could be found. Many remnants were found in Longjian and Chinjian shipyards, the most important center of shipwrights. After the middle of Ming Dynasty, battle ships substituted as the ship most frequently made in order to fight the Japanese pirates. However, with the government's discouragement of overseas trade, shipwright technology ceased to developed, finally to be caught up and defeated by European, for whom sailing was a rising and profitable endeavor.

沙船模型
Shachuan Model
尺寸：長100公分、寬21公分、高85公分。
材質：木、竹。
典藏：泉州海外交通史博物館

　　沙船方頭方尾，平底，又稱「蜑船」。沙船底平不易擱淺；船身寬大，穩定性好，船身常配備披水板，太平籃等平衡設備，多桅多帆，快航性好。據說此種船源於長江口的崇明島，元代以後為海上漕運的主要船型。中國北方海域風浪不大，因此廣泛使用沙船。

This ship had flat bottom and square swim head; the flat bottom reduced the possibility of grounding. Shachuan was commonly found in northern Chinese seas, where the sea was more mild.

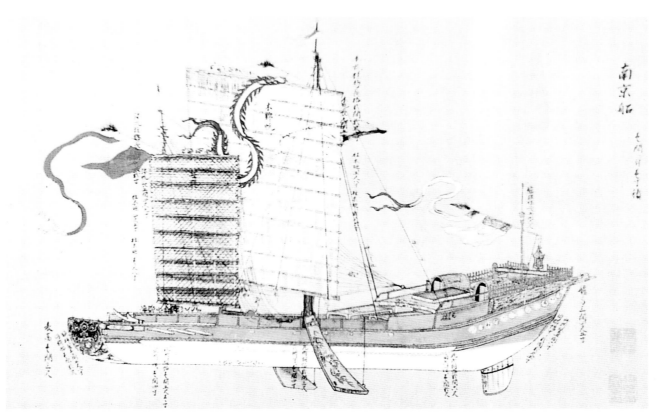

南京沙船圖（原圖存日本松浦史料博物館）

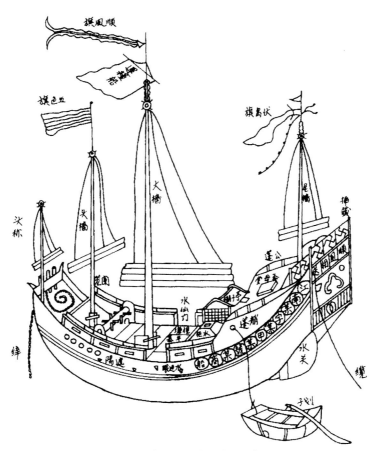

《浙江海運全案》書中所附之清代沙船構造圖

福船模型
Fuchuan Model
尺寸：長98公分、寬35公分、高98公分。
材質：木、竹。
典藏：泉州海外交通史博物館

　　福船是對福建沿海所造遠洋木帆船的統稱。特點是尖底、方頭闊尾，有龍骨及水密隔艙構造。福船船身高大，結構堅固，容量大，抗沉性強，是我國古代最優秀的木質帆船。

Fuchuan refers to the ocean-going ships built on Fujian coast. This kind of ship had strong structure and considerable capacity, and was the best wooden sailing ship in ancient China.

清代南京福船

清代廣東福船

清代廈門船

廣船模型
Guanchuan Mode
尺寸：長120公分、寬29公分、高23.4公分。
材質：木、竹。
典藏：泉州海外交通史博物館

　　廣船造於廣東，也是尖底船，特點是頭尖體長，梁拱小，甲板脊弧不高；用料嚴格，結構堅固，具有較好的適航性能和續航能力。其與福船最大的分別主要在船尾：廣船船尾常呈方形，福船船尾則呈橢圓形；此外廣船的舵也與福船不大一樣，前者多帶流水孔，後者無。

Manufactured in Guandong, this ship had longer body and durable structure.

鳥船模型
Bird Ship Model
尺寸：長100公分、寬21公分、高85公分。
材質：木、竹。
典藏：泉州海外交通史博物館

　　鳥船是中國古代四大船型（福船、廣船、沙船、浙船）中浙船的一種，因船頭似鳥嘴呈尖形，故名，也是尖底船。鳥船源自于宋代，盛於元、明、清，一直流傳到近代，爲東南沿海漁船最主要的的船形。

　　One kind of Zhejiang ships, Bird ship has a prow shaped as bird's bill. Originated in Sung Dynasty, this type of ship survives to the present day.

封舟模型

Feng Zhou Model

尺寸：長122公分、寬26公分、高110公分。

材質：木、竹等。

典藏：泉州海外交通史博物館

　　封舟是明清兩代在福建建造的供中國政府冊封琉球的使團乘坐的大海船，屬福船型。封舟建造十分考究，具有堅固的抗沉性，航行穩定而且速度快。據明神宗萬曆34年夏子陽《使琉球錄》所記：當時他乘坐的封舟長45公尺、寬9.5公尺、深4公尺，有28個船艙，每艙又分上中下三層。船舷兩側還有四公尺高的遮浪板。船上三根桅桿則以鐵力木製成。

　　Feng Zhou is built in Fujian provence around Ming and Qing Dynasty. A kind of Fuchuan, Feng Zhou is big sea-going ship for Chinese delegates to the Ryukyu Islands.

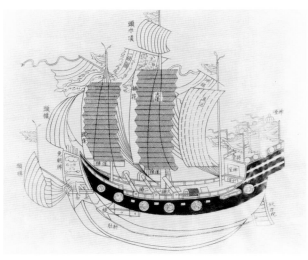

清徐葆光《中山傳信錄》
中所附的清代封舟圖

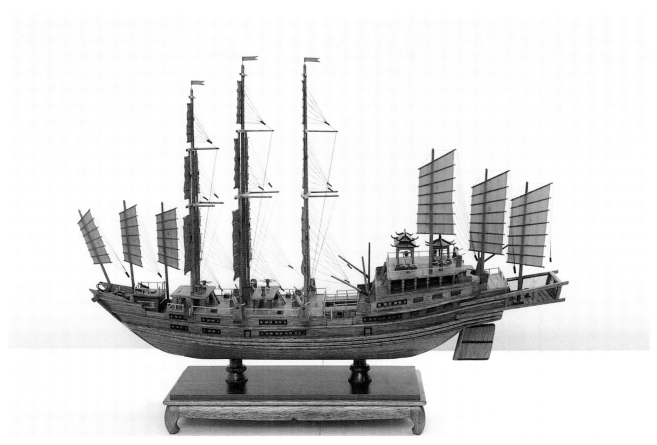

寶船模型
Treasure Ship Model
尺寸：長85公分、寬25公分、高60公分。
材質：木、竹。
典藏：泉州海外交通史博物館

　　「寶船」泛指鄭和船隊中的大船，有「西洋取寶之船」的意思。事實上宋代已有「寶船」名稱，如周去非《嶺外代簽》一書中便描述當時中國開往南洋的大船形如巨寶，「帆若垂天之雲，中積一年糧」云云。鄭和乘坐的帥船，是船隊中最豪華、最巨大的。長125.65公尺，寬50.9公尺，深12公尺，吃水8公尺，9桅12帆，最大排水量14800噸，最大載重量7000噸，有四層甲板，雕樑畫棟，美不勝收。是當時世界上最巨大的船。本船模係根據陳延杭教授研究設計而製作。

　　The name of Treasure ship connotes the meaning of acquiring oversea treasures. This type of ship is the biggest and most luxurious ship in Zheng He's fleet; it is the flagship where Zheng He gives out his commands. With its nine masts and twelve sails, four decks and meticulous ornaments, Treasure ship is the world's biggest ship at that time.

泉州出土宋船模型

Model of Excavated Sung Ship

尺寸：長85公分、寬25公分、高85公分。

材質：木、竹等。

典藏：泉州海外交通史博物館

　　1974年泉州灣後渚港出土的海船，根據科學考證，這是一艘13世紀泉州造的三桅遠洋商船。沈船殘長24.2公尺，殘寬9.15公尺。經研究，這條商船原長34公尺，最大寬度11公尺左右，有十一個水密隔艙；排水量393.4噸，載重量200噸，是典型的福船。

泉州宋船復原圖

　　This is a model of the ship excavated in Quanzhou bay in 1974. Scientific study shows that this is a three-masted sea-going ship of 13th century. A typical Fuchuan.

泉州出土的南宋海船

　　公元1974年8月，福建省泉州後渚港沙灘出土一艘古代海船遺物，經考古發掘整理，古船船體殘長24.4公尺，殘寬9.15公尺，伴隨出土的船艙貨物有香料、藥物、木貨牌、銅錢、貝幣、鐵器、陶瓷器、竹木編織物、麻繩、果核、動物骨骼等，共計14類、69項。根據船上遺物及船形結構研究，這是一艘南宋末年的遠洋商船，復原尺寸是長34公尺、寬11公尺、深4公尺、排水量約400噸，載重量約200噸，有三桅。

南宋海船出土現場

　　依唐、宋以來的船舶類型分，這艘泉州出土的南宋海船屬福船型。其底部削尖，龍骨粗大，兩頭高，船體扁闊；最特殊的是艙底完整的保留了十二道水密艙隔板。船殼板則用二至三層木板疊合，每塊船殼板上下左右之間都使用榫接，並用鐵釘加固。所用的鐵釘有方的、圓的、扁的；釘法也各式各樣。所有的縫隙則用麻絲、竹茹，和桐油灰搗成的捻料塗塞。從這些結構上看，這是一艘穩定性及抗沈性都很優秀的船。

　　根據船上兩公斤多的香料和兩千多枚貝幣判斷，泉州宋船是一艘經常往來於南洋的貿易船，而且它遇難時可能剛自南洋返抵國門，還來不及卸貨就被棄置了。船上還發現許多木質貨主牌，牌上寫著貨主的店號或姓名。還有21枚木質象棋子，這是中國迄今發現年代最早的象棋實物。瓷器是當時海外貿易大宗，泉州宋船中出土的瓷器有八十幾件。有德化窯的白釉碗和粉盒、磁灶窯及龍泉窯的青瓷、建窯的黑釉碗等。

　　專家考證此艘泉州船可能是在公元1277年左右由海外返抵泉州時，正巧碰到南宋軍隊與入侵的元軍在泉州港大戰，而被迫棄置留下來的。後被埋於沙灘下，從此沉睡了七百年。

伴隨古船出土的貨主牌

伴隨古船出土的象棋子

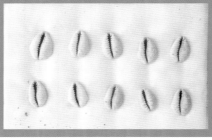

伴隨古船出土的貝幣

比利時收藏之中國船模

公元1803年，拿破崙將當時法國在美洲的殖民地，今天的路易西安那州賣予美國。公元1904年，為慶祝此事屆滿百週年，美國於聖路易市同時舉行了萬國博覽會和奧林匹克運動會。來自世界四十三個國家的藝品及工業製品等分別在十二個展示館展出，展期連續七個月。雖然之前在倫敦、維也納、布魯塞爾等地的萬國博覽會中，已經有來自中國的展品出現，但此次是中國政府首次以官方的身份參與萬國博覽會。

因以官方身份參展，此次博覽會由清朝政府委由當時的海關總稅務司代為辦理，由海關總稅務司當時分駐各地的主管於各省徵集展品，最後提供了當時的內陸及沿海使用的商船及軍艦模型共一百二十五件參展。這批船舶模型全部由福建工藝師按實際船舶的十五分之一或二十分之一比例製作，既反映清末中國船舶概況，也呈現了當時的工藝水準。

該批展品於公元1905年，經過與中國政府協議，由比利時政府出資，由聖路易市轉運，參加在比利時列日市(Liege)的萬國博覽會，並於展覽結束後收藏於比利時的各個國家博物館。公元1925年，該批展品轉至比利時的國家海洋博物館（National Maritime Museum），該館將此批模型陸續加以修復，並重新展示直至今日。

國立歷史博物館為配合「鄭和與海洋文化展」，透過傅維新顧問及比利時台北辦事處閔子庸主任的居間協助，向比利時國家海洋博物館借用了該批展品中，具有代表性的海船模型共十艘。內容涵蓋了當時中國沿海由南至北，供客運、貨運及軍事等用途的代表性船隻型式。由華航贊助運送來台，供此次特展使用。

Models of Chinese Ships Collected in Belgium

In 1803 Napoleon sold the French colony in America to the US; this colony became today's Louisiana. In 1904 the US organized an International Exposition as well as the Olympic Games in Louisiana to celebrate the Centennial Anniversary of this event. Handicrafts and industrial products from 43 countries were exhibited continuously in 12 exhibition halls for seven months.

Chinese exhibits also appeared in this Exposition. Although exhibits from China had already appeared in International Expositions held in London, Vienna, and Brussels, this was the first time Chinese government was officially invited to participate. Qing government commanded the Inspectorate General of Customs to prepare the exhibits. Custom officials all over China began to collect, resulting in 125 models of merchant and military ships of inland and coast uses.

In 1905 Belgium government reached an agreement with Chinese government and transported these Chinese ship models from St. Louis to Liege, Belgium, to be exhibited in another Internation Exposition. After the Exposition, these models were collected in several national museums in Belgium. In 1925 these exhibits were gathered together and transferred to National Maritime Museum of Belgium; there these models were gradually repaired and exhibited to this day.

For the exhibition "Zheng He and the Oceanic Culture," National Museum of History, with appreciated assistance from Mr. Fou Wei-Sin and Mr. H. Mignot, Director of the Belgium Office, Taipei, borrowed ten representative models from the National Maritime Museum of Belgium. These ten models include passenger ships, cargo ships, and military ships. With the assistance of China Airlines, the Museum can transport these models to Taiwan for this exhibition.

清代商貨船模型

Large Commodities Junk

Period：19th century

尺寸：長120公分、寬39.5公分、高94公分。

材質：木、竹。

典藏：比利時國家海洋博物館

　　三桅三帆，船首平伸，船底龍骨經過改良，船身比一般尖底船寬闊，爲廣東遠洋商貨船。

清代戰船模型

Armed Southern Junk

Period：19th century

尺寸：長87公分、寬28公分、高85公分。

材質：木、竹。

典藏：比利時國家海洋博物館

　　三桅三帆，船首高翹，船身小但靈活，甲板上安置三門砲，爲廣東攻擊型的戰船。

清代貨運船模型
Fuzhou Pole Junk
Period：19th century
尺寸：長86公分、寬26公分、高66.7公分。
材質：木、竹。
典藏：比利時國家海洋博物館

　　三桅三帆，機動性大，為福建沿海載運杉木的小貨船。

清代貨船模型

Commodities Junk

Period：19th century

尺寸：長103公分、寬29公分、高79.5公分。

材質：木、竹。

典藏：比利時國家海洋博物館

　　三桅三帆，其特點是船桅加繩索於兩側船舷。爲香港海域的貨運船。

清代客貨船模型

Guangdong Commodities Junk

Period：19th century

尺寸：長86公分、寬23公分、高96公分。

材質：木、竹。

典藏：比利時國家海洋博物館

　廣船形，三桅，船首高翹，船身狹長，爲廣東沿海一般客貨兩用船。

清代戰船模型

Armed Junk

Period：19th century

尺寸：長96公分、寬26公分、高84.5公分。

材質：木、竹。

典藏：比利時國家海洋博物館。

　　三桅三帆，船首尖，尾艙高翹，上列有傳統兵器，船尾懸一艘小艇，甲板兩側各安置三門砲，爲福建海域的攻擊型戰船。

清代商貨船模型

Large Pole Junk

Period：19th century

尺寸：長130公分、寬30公分、高116公分。

材質：木、竹。

典藏：比利時國家海洋博物館

　　福船型，三桅三帆，客貨艙為二層式，舵巨大，為福建載運木材等建築材料的商貨兩用船。船身裝飾華麗，頗氣派。

清代客貨船模型

Sea-going Junk

Period：19th century

尺寸：長75公分、寬24公分、高75.6公分。

材質：木、竹。

典藏：比利時國家海洋博物館

　　二桅二帆，主帆特大，爲沿海一般客貨兩用船。

清代戰船模型

Warjunk of South China

Period：19th century

尺寸：長117公分、寬30.5公分、高115公分。

材質：木、竹。

典藏：比利時國家海洋博物館

　　三桅三帆，船首平伸，船底殼用金屬包裹，其作用是防海中生物侵蝕船殼。船身寬闊，甲板上安置六門砲，爲廣東海域戰船。

清代客貨船模型

Gulf of Pechili

Period：19th century

尺寸：長120公分、寬30公分、高110公分。

材質：木、竹。

典藏：比利時國家海洋博物館

　　沙船型，二桅二帆，船艙特大，載重量約213.5噸，可載乘客20人。常航行於北直隸海域。

指南魚
Fish Compass
尺寸 : 直徑20公分
材質 : 木
典藏 : 泉州海外交通史博物館

　　指南魚的製法詳載於北宋初年曾公亮主編的《武經總要》中，是一種人工磁化的指南裝置，最初用於陸地，後演變爲水浮針而爲舟船航行採用。

Originally used on the land, this compass was later developed as a kind of floating compass and used for navigation.

指南針之演進

　　指南針是一種磁性指向儀器。他與以齒輪系為基礎的指向機械即指南車完全不同。磁石的一個最易被人發現的特性是它的吸鐵性。在戰國晚期成書的《呂氏春秋》中，就有「慈石召鐵，或引之也」的話，這種吸鐵性曾被喻為慈母愛戀子女，因此，秦漢以前，都把磁石寫成「慈石」。

　　北宋初年，曾公亮主編的《武經總要》（約成書於1044年）中介紹了一種「指南魚」：「魚法用薄針葉剪裁，長二寸闊五分，首尾銳如魚形，置炭火中燒之，候通赤，以鐵鈐（鉗）鈐魚首出火，以尾對正子位，蘸水盆中，沒尾數分則止，以密器收之。」從現代科學觀點來看，這是一種磁化過程。薄針葉應是一種碳鋼，把魚燒紅至居里點以上後，讓它在地磁場中急速冷卻，使其產生相變，以獲得剩磁性。由於北宋都城在開封，地磁場方向應是北端向下，因此要讓魚尾正對子位（即北方）並略向下傾斜，才能得到最大的磁化強度。這是利用地磁傾角現象的一種經驗方法。「以密器收之」，可能是把鐵葉魚收藏在放置有天然磁石的密器內，減少退磁作用，以保持它的剩磁性。這種指南魚使用

水浮針是最早用於航海的指南針

時，只要在無風處將魚放入盛水的碗中，讓它浮在水面，等到靜止的時候，魚首便會指南。

　　北宋科學家沈括在《夢溪筆談》中記述另一種磁性指向儀器。他寫道：「方家以磁石磨針鋒，則能指南。」這又是一種由經驗積累的更為簡易的磁化法，是磁性指向儀器發展史上的一項重要發明。在近代磁鐵出現以前，指南針都是用這種方法製造的。沈括還著重指出：指南針所指的方向「常微偏東，不全南也」。這是中國有關磁偏角的最早記載。

　　《夢溪筆談》中，還介紹了磁針裝置記述的四種試驗：「水浮多盪搖，指爪及碗唇上皆可為之，運轉尤速，但堅滑易墜，不若縷懸為最善。其法取新纊中獨繭縷，以芥子許蠟綴於針腰，無風處懸之，則針常指南。」其中水浮法的磁針，據宋代寇東奭的《本草衍義》和元代程棨的《三柳軒雜記》引用《夢溪筆談》這段文字所增補的闕文可知，是靠橫貫或者積貫一根到數根燈芯草之類可以漂浮的物體而取得浮力的。二十世紀50年代以來，磁縣，大連，丹徒等地出土的元代「王」字瓷碗，碗中繪有三個大點，中貫一細劃，有的還在碗底背面圈足內墨書一「針」字。這表明此類磁碗是元代的水浮針碗。王字表示水浮磁針的形象，中貫的細劃代表磁針，三大點代表浮標。浮標安在磁針的中部和兩端，使磁針能在水面上保持平衡。

　　指南針的裝置技術是隨著在海上航行中日益廣泛的應用而發展的。最早記載航海中使用指南針的文獻，是北宋朱彧所著的《萍洲可談》。書中寫道：「舟師識地理，夜則觀星，晝則觀日，陰晦觀指南針。」該書記述公元1099～1102年間廣州的海運情況。可見指南針在十一世紀末與十二世紀初年已作為海上導航的一種輔助設備，在天氣陰晦時使用。其後，南宋福建路市舶司提舉趙汝適在其所著的《諸蕃誌》裡寫到：「舟舶來往，惟以指南針為則，晝夜守視惟謹，毫厘之差，生死繫焉。」可見當時指南針在航海中的重要地位。中國最初用於航海的指南針是一種水浮針。北宋宣和五年（公元1123年）出使高麗的徐兢，在海上航行時就是使用「指南浮針」。指南針在使用之初，沒有固定的方位盤。上舉諸書均未涉及羅盤定向問題，實際上，後來的四方定位羅盤當時已初具雛形。南宋曾三異的《同話錄》最早提出羅盤的名稱，書中說：「地螺或有子午正針，或用子午丙壬間縫針。」這裡的「地螺」即地羅，是從古地盤向羅盤過渡的名稱。盤的分度襲用古地盤的二十四向，加上兩方位之間的縫針，合而為四十八向。中國在南宋時期，就已經把這種帶有方位盤的指南

懸線指南針
Pendent Compass
尺寸：24×39×20公分。
材質：木材。
典藏：泉州海外交通史博物館

　　這是最簡便的航海磁針裝置之一，北宋沈括在《夢溪筆談》中記載：「其法取新纊中獨繭縷，以芥子許臘綴於針腰，無風處懸之，則針常指南。」並說它比水浮針好用。

This is one of the most convenient navigation mechanisms in ancient times.

針用於航海了。南宋咸淳年間 (公元1265～1274年) 吳自牧在《夢梁錄》裡記道：「風雨冥晦時，為憑針盤而行，乃火長掌之，毫釐不取差誤，蓋一舟人命所繫也。」這是中國航海中使用羅盤的最早記載。海船使用羅盤導航時，每條航線都是由許多針位點連接起來的，這就是「針路」。將針位方向記錄下來，就是「羅經針薄」，作為航行的依據。元代周達觀於十三世紀末出使真臘(今柬埔寨)，在他的《真臘風土記》中記載「自溫州開洋，行丁未針，…又自真蒲行坤申針」等，都是按針位航行。

　　自南宋至明中葉，中國航海中所用的羅盤，都是「水羅盤」。所謂水羅盤，是指磁針浮於水面，沒有固定支點的水浮針盤。明初隨鄭和下西洋的鞏珍，在他的《西洋番國誌》自序中曾對這種水羅盤作了記述：「皆斲木為盤，書刻干支之字，浮針於水，指向行舟。」至明嘉靖年間 (公元1522～1566年) 又出現一種「旱羅盤」，這是指磁針不藉助水的浮力，而用一個支軸的尖端頂在磁針的中部，使磁針可以平衡旋轉的裝置。這種旱羅盤是十六世紀從國外傳進來的。

　　中國指南針用於航海以後，通過阿拉伯人於1180年左右傳入歐洲，到了十四世紀，歐洲出現了一種萬向支架 (或稱平雙環架)的指南針，它由兩個銅環組成，小環內切於大環，用樞軸連結起來，再用樞軸把外環安在固定的支架上，然後把旱羅盤掛在內環上。這樣，不論船體怎樣擺動，旱羅盤可以始終保持水平狀態。

　　在西方國家，十八世紀末葉將蒸汽機用於海船，和十九世紀中葉裝甲船出現以後，輪機和炮火的強烈震動以及艦身磁場的干擾，使磁羅盤失去作用。經過不斷改革，乃發展出一種新型的磁羅

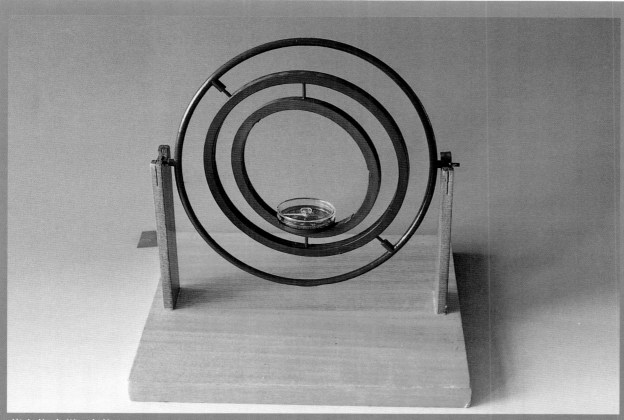

萬向指南儀(實物) All-direction Compass
尺寸：22×20×20公分。材質：木。典藏：泉州海外交通史博物館

中國指南針用於航海以後，通過阿拉伯人於1180年左右傳入歐洲，到了十四世紀，歐洲出現了一種萬向支架(或稱平雙環架)，它由兩個銅環組成，小環內切於大環，用樞軸連結起來，再用樞軸把外環安在固定的支架上，然後把旱羅盤掛在內環上。這樣，不論船體怎樣擺動，旱羅盤都可以始終保持水平狀態。中國因為已有水浮針，故罕用此種指南裝置。

Compass, after put into navigation use by Chinese, is brought into Europe by Arabians around 1180. In 14th century, an all-direction prop stand appears in Europe which can maintain the balance of the compass no matter how the ship sways. Because of the early appearance of Floating Needle Compass, Chinese rarely use this kind of compass.

經和附屬的防磁設備，即近代各國船艦中通用的液體磁羅經。它是在特製的密封羅經體內注滿液體(水和酒精混合劑或石油防凍液)；在羅經的底部設有調節液體膨脹的裝置，盤下支軸上裝有浮體。由於羅經體內注滿了液體，可以大大減小外界震動對磁針的影響，保持羅面的穩定，有利於操舵時觀測。同時液體的浮力將浮體托起，減輕了磁針盤面的重量在支軸上產生的摩擦阻力，使盤面運轉自如。這種設計，是在歐洲傳統旱羅盤的基礎上吸收了中國八百年來浮針的技術，將中西兩種羅盤的優點結合起來，使磁羅經臻於完善。液體羅經的出現，是中西科學技術交流的結果，象徵著各國人民集體智慧的結晶。

羅盤針

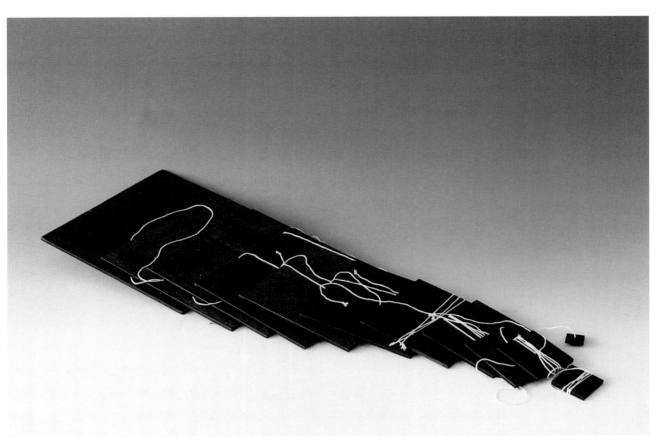

牽星板
Chien Hsin Board
尺寸：24×24公分。
材質：木材
典藏：泉州海外交通史博物館

　　牽星板是測量星體高度的儀器。由十二片依次遞減尺寸的木板和一片四周缺刻的小木塊(或象牙製)組成。古代航海人員利用牽星板測量所在地的星辰高度，然後計算出該處的地理緯度，找到船隻在海上的具體位置，以確定船隻的航向。

　　Chien Hsin Board was the mechanism used to measure the height of stars. It was composed of one wooden or ivory piece and twelve wooden boards whose size decreased progressively. In ancient times, sailors used Chien Hsin Board to measure from their own location the height of stars, calculated the latitude of that location, so as to find out the ship's position on the sea. In this way, they can correctly decide the ship's course.

量天尺 (複製品)
Sky Ruler (replica)
尺寸：長21公分，寬2公分。
材質：木
典藏：泉州海外交通史博物館

　　用於測量北極星出水的高度，然後計算船在海中的位置。原件爲1974年泉州灣出土的宋代海船伴出物。

This instrument was used to measure the distance between Polaris and the surface of the sea, so as to decide the position of the ship. This is a replica of the 1974 excavation from a sunken ship of Sung Dynasty.

明代鐵竹篙(大鐵錨)

Anchor from Ming Dynasty

尺寸：通高198公分，篙徑8~10公分，四櫟長85~89公分。

材質：鐵

重量：200公斤

典藏單位：連江縣博物館

　　鐵鑄，有鍛打痕跡。下部一方形圓錘分四櫟。明代以後鐵錨普遍被使用，並取代了木石碇，福建泉州灣口石湖港曾出土一具高近3公尺，重達758公斤的大鐵錨，俗稱「鐵貓狸」，傳說是鄭和艦隊刻意留下的「鎮海神物」。

錨具演進

明清兩代的船用碇泊工具有木椗和鐵錨兩大類。使用區別是以水淺水深以及水域底部的不同條件來劃分的，航行北方水域之海船用鐵錨，航行南方水域的海船用木椗。但考古發掘，在南方海域曾出土過鐵錨，而走北方航線的船也用木椗，所以南木北鐵之分並不那麼嚴格。

木椗從木石錨演變而來。木石錨的下端有木齒，並縛石塊以增重。明清兩代對木椗的選材很重視，並在實踐中積累了豐富的經驗。「木椗以夾喇泥（木）為上，烏鹽木次之」，若得以鐵力木為之，「則漬海水中愈堅」，那就更好了。總之，木材的選擇以質密、量重、堅硬、耐腐蝕者為上。

王於鐵錨，它廣泛用於內河船與某些海船。目前所見明清時期最早的鐵錨是1958年在山東梁山縣宋金河出土的明代護漕兵船上的四齒鐵錨。

明代鐵錨是將熟鐵加溫後錘鍛而成的，上下渾然一體，務求堅牢。整個鐵錨絕非用一塊熟鐵打成，只能用多塊鐵從錨齒開始逐漸打製延長至柄，使之成為一體。鍛接的連續性很強，要求很嚴。除連續性鍛打方式外，又有將錨齒、錨柄分別打製而後焊接成一體的方法。

明代較大的船，往往設置數件鐵錨，最雄者曰看家錨，重五百斤內外。其餘頭用二枝，梢用二枝。在一般情況下，用頭錨或梢錨就可以了，但若十分危急則下看家錨。梢錨所起的乃是減速作用，利用錨與海底泥沙的摩擦力以降低船行速度，操作者應具有豐富的經驗與嫻熟的技巧。一些行駛於南方航線的船隻也往往使用鐵錨。鄭和所乘一號寶船的「篷帆錨舵，非二三百人莫能舉動」，這麼大的錨理應是鐵錨。近來在福建泉州灣水下出土一件四齒鐵錨，應是明代遺物，當地故老相傳亦云，在泉州灣海底有鄭和寶船遺留之鐵錨。從文獻到文物資料都證明明代鐵錨其數甚多。

宋應星《天工開物》中所附的錘錨圖

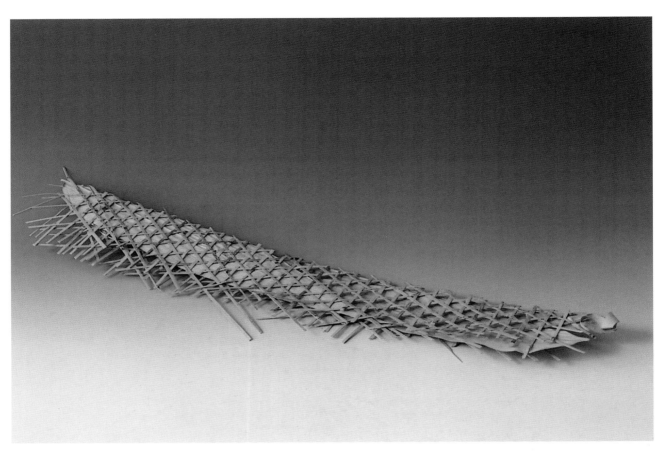

竹篾帆殘片 (複製品)
Fragment of Bamboo Sail (replica)
尺寸：87×17×0.2公分
材質：竹。
典藏：泉州海外交通史博物館

　　竹帆的表層為六角形竹編，中間還夾鋪著竹葉。為我國首次發現的竹帆實物，原件為1974年泉州灣出土的宋代海船伴出物。說明當時南方的海船除了使用布帆外也使用竹帆。案中國帆船以用四角帆為主，多為長方斜頂方形，帆面有多道橫竿的硬帆；有些沿海帆船的帆頂邊一角成尖峰，後側邊成曲線，整個帆面呈扇形。升帆時桅杆處在帆的前側邊與縱中線之間。這種斜頂邊的半平衡帆，操縱靈活，帆面風壓中心較低，利於駛偏風。中國帆船有的也備有三角軟帆。長江上游帆船在駛順風時靠主帆前邊掛一面直角三角形輔帆，底邊與主帆相齊，等於主帆的延寬。帆的長度與桅長相適應，主帆寬度大於船寬，頭帆、尾帆尺度依次減小。中國帆船主帆寬度有的超過船寬兩倍。

The first Sung Dynasty bamboo sail found in China, this article shows that ships in south China used bamboo sails as well as cloth sails. This is an article of the 1974 excavation from a sunken ship of Sung Dynasty.

腰舟

Waist Float

尺寸：高約30公分、最大徑18公分。

材質：葫蘆。

典藏：長樂市鄭和航海館

　　腰舟是一種用兩個以上葫蘆栓在腰間的原始過江越海浮具。古代船舶皆備有此救生裝置，作用如現在的救生圈。

　　Bounding more than two gourds on the waist is the basic form of Waist Float, a primitive vessel to cross water. An ancient equivalent to modern day buoy, Waist Float is found on ancient vessels.

香料貿易

　　自古以來，香料便是南海地區與中國交往的重要物資。西漢時代的廣州南越王墓，曾出土薰爐、犀角、象牙、琥珀等物，並在一個漆盒中發現酷似乳香的膠狀物質，這說明早在公元前二世紀中國人可能就已經使用南海出產的香料。

　　三國時代，南海地區與中國交往頻繁，據文獻記載，最遲在東吳時期香料便已是重要的進口物品。當時若干道教經典中便明確記載一些香藥的特性與產地來源，如《太清金液神丹經》中謂：「眾香雜類，各有其源。木之沉浮，出於日南；都梁青靈，出於典蓀；雞舌芬蘿，生於杜薄；幽蘭茹來，出於無倫；青木天竺，鬱金罽賓；蘇合安息，薰陸大秦。咸自草木，各自所珍。…」經中提到的香藥共十五種，可視為中國最早的香料文獻。

　　唐代中外貿易空前發達，「海外諸國，日以通商」；廣州成為當時最大的商港，「有婆羅門、波斯、崑崙等舶，不知其數，並載香藥、珍寶，積載如山。」據考，當時輸入中國的香藥有沉香、檀香、龍腦香、丁香、乳香、青木香、安息香、畢鉢、訶黎勒、阿魏、胡椒、蘇木、沒藥、蘇合香、麝香、甲香、甘松香、香膽、唐香、棧香、靈陵香、薰木香等二十餘種。

　　宋、元時期，香料貿易達於鼎盛，據考當時由海外進口至中國的物品約有四百種，其中香藥便占兩百種；為了提供抽稅依據，自南宋起開始將香料與藥物分開，其中上稅的香料不下百種，較重要的有二、三十種。趙汝適《諸蕃志》特別記載了各種香料的產地來源：占城出沉香、速暫香、生香、麝香、象牙；真臘出沉香、速暫香、生香、麝香、象牙、金顏香、篤蓐香、黃熟香、蘇木、白荳蔻；婆出沉香、檀香、丁香、降真香、白荳蔻、胡椒；渤泥出降真香、玳瑁；三佛齊出安息香、沉香、檀香、降真香；大食出乳香、沒藥、血竭、蘇合香油、丁香、木香、真珠、象牙、龍涎等。1974年泉州灣出土的南宋末年海船中，伴隨出土的香料藥物有降真香、玳瑁、沉香、檀香、乳香、龍涎、胡椒、檳榔等八種，總重量為四千七百多斤。趙汝適當過福建市舶提舉司使，據他說：當時「蕃商貿易至，市舶司視香之多少為殿最。」不僅地方海關重視香料貿易，中央政府也重視；《宋會要》便記載：太宗雍熙四年〈公元987年〉五月，「遣內侍八人，齎敕書金帛，分四綱，各往海南諸蕃勾招進奉，博買香藥、犀牙、真珠、龍腦，每綱齎空名詔書三道，於所至處賜之。」據當時往來地中海地區及中國的外國旅行家記述，十三、四世紀時，西亞、南亞及東南亞等地輸入中國的

降真香

尺寸：15×6公分　材質：小喬木。典藏單位：泉州海外交通史博物館

　　2件。為1974年泉州灣出土的宋代海船伴出物。主要產於馬來半島及印度，主要為藥用，可行氣止血，與「血竭」同為宋元時代珍貴的進口香料。

胡椒子　Pepper Seeds (replica)

尺寸：1盒。材質：果核。典藏：泉州海外交通史博物館

　　胡椒大約於南北朝時開始傳入中國，最初是作爲藥物，唐代起才作爲佐料。宋元以來大量自海外輸入，是重要的舶來商品。原件爲1974年泉州灣出土的宋代海船伴出物。

香料爲同時期北非最大港市亞歷山卓的一百倍有餘；東亞的朝鮮、日本等都透過中國轉口獲得所需之香料。

　　宋代市舶司規定：外商船舶抵達口岸後，必須先將香藥送交市舶司「呈樣」，然後由市舶司抽稅；最初宋朝政府實施專賣制度，所有香藥皆由政府強行收購，不准中外商人私下買賣，後來逐漸放寬，除玳瑁、乳香等八種香料外，大部分香藥繳了稅後都可自由買賣；其抽稅比例一般爲十分之一，南宋初年一度抽到十分之四，因外商吃不消後來又改回十分抽一之制。香料貿易在當時經濟活動中扮演的角色極爲重要，乃至南宋數學家秦九韶〈1202~1261〉在所著《數學九章》中，舉推求物價的計算問題時都不免要以香料爲例。

　　進口香料主要供貴族、官僚等統治階級使用，主要用在袪除穢氣，淨化環境，另外一些宗教儀式和飲食醫療也使用；受到上層社會的影響，一般平民社會也逐漸形成用香的風氣。當時還出現了《香譜》和《名香譜》之類的專書，可見風氣之盛。泉州是當時最繁榮的通商口岸，元朝僧人釋宗泐有詩云：「泉南佛國天下少，滿城香氣楠檀繞；纏頭赤腳半番商，大舶高檣多海寶。」很多中外商人都在此經營香藥貿易而致富，其中最有名的爲阿拉伯商蒲壽庚家族，他以經營香料貿易而結交權貴，最後作到福建廣東招撫使兼福建市舶司提舉，「擅蕃舶利三十年，置產巨萬，家僮數千」，擁有龐大的船隊和船戶，其後裔迄今仍經營香料生意。

　　香料爲社會大眾接受最主要還是它可作醫療用途。早在唐代便有專門記載外國藥材的書籍，宋代醫書中記載配有香料的湯劑或成藥更多；據說宋代以後中藥由湯劑逐漸轉變爲以丸、散爲主，即與大量使用香料有關，因爲香料多具揮發性，不宜煎熬。根據當時醫書記載各種香料皆有其臨床可驗的藥性，如乳香可活血袪瘀、定痛；降真香可理氣、止血、行瘀、定痛、利水通；檀香可理氣、和胃；胡椒可溫中、下氣、清淤、解毒；檳榔可殺蟲、破積、下氣、行水；玳瑁可清痰、解毒、鎮驚；沉香降氣溫中、暖腎納氣。

　　明初實施海禁，香料貿易似乎中斷；但透過海外蕃國來華朝貢，統治階層並不乏香料，史載永樂二十二年朝廷曾一度因財政窘困發不出官吏薪俸，而以皇宮庫存的香料來抵償，可見當時香料輸入並未停止，只是被統治階級壟斷而已。然而長期實施海禁畢竟影響香藥的來源，造成社會不便；且會製造走私機會，尤損害國家稅收。因此明代中葉後海禁稍弛，南海香料又源源不絕輸入中國，但數量及種類卻比前代減少許多。主要是因爲中國海船因海禁緣故自十五世紀中葉以後便不再至蘇門答臘以西地區貿易；同時歐洲各國航海事業大興，也積極爭取全球香料貿易的控制權，甚至進而直接佔領出產香料的東南亞各地。在這種情況下，中外香料貿易自然無法再像以前那樣蓬勃發展。

（正面）

（反面）

木刻行船圖（兩件）

Wood with relief boats procession painting

Period：Yuan

尺寸：長197、200公分；寬、公分，

材質：木

年代：元

巴蜀文教基金會收藏

　　兩面木刻，圖像以行船爲主，有官吏坐在船上出巡，有歌舞遊行隊伍，場面熱鬧生動，刻工細膩，構圖嚴謹。四川出土。下圖爲局部放大。

（正面）

（反面）

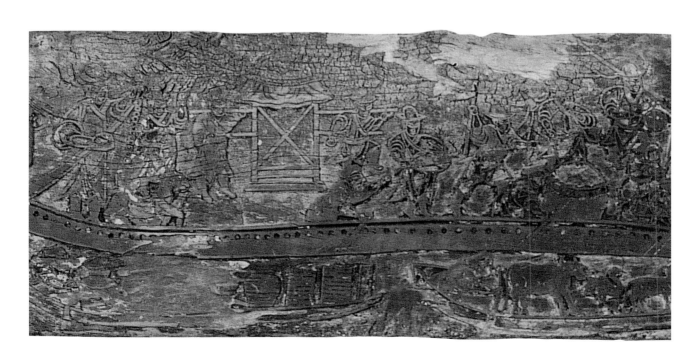

海上絲路

中國海外交通起源極早，考古出土的史前至西漢時代舟船遺物，多發現於東南沿海及山東半島沿岸，說明古代東亞大陸與鄰近海域一直有船隻往來。

秦帝國建立後，併有交阯、日南、九真三郡，南海交通大開。東南亞及東印度洋各國受到中國進步物質條件的吸引，紛紛循海道至中國貿易，交阯成為重要的海外交通門戶。《漢書》〈地理志〉便載：「自日南障塞徐聞、合浦，船行可五月有都元國（今馬來半島南端）；又船行可四月有邑盧沒國（緬甸南部）；又船行可二十餘日有諶離國（緬甸西南）；步行可十餘日，有夫甘都盧國（緬甸中部）。自夫甘都盧國船行可二月餘有黃支國（印度半島東南岸）。…黃支之南有已程不國（今斯里蘭卡），漢之譯使自至還矣！」當時雄據地中海世界的羅馬帝國正興盛，其商人或經由中亞陸路至中國交易，而循海道者即由上述路線，所謂「市明珠、璧琉璃、奇石、異物，齎黃金、雜繒而往」，正是當時的貿易情況。

魏晉南北朝時期，北方戰亂不歇，南方諸朝則大力發展海外勢力，如東吳便幾次派人率艦隊「南宣國化」；而南朝崇佛，也吸引不少域外僧人浮海來華，此使得南海交通益為繁榮。許多國家經由海道前來中國朝貢，廣州也逐漸取代交阯的門戶地位。

隋、唐時代，南北統一，特別是大運河的開鑿，使南北貨物更暢通無阻。而安史之亂後，東南成為全國經濟重心，於是海外貿易愈受重視。唐政府特於廣州設「市舶司」掌理蕃貢貿易之事。當時南海貿易路線又稱為「廣州通海夷道」，由廣州出發經佛逝國（在蘇門答臘島東南部），到訶陵國（爪哇），為第一段；由佛逝國前行至烏剌國（位於波斯灣幼發拉底河口）為第二段；第三段係由非洲東岸東行至烏剌國。時阿拉伯帝國興起，阿拉伯商人與華人分別掌控著印度洋與西太平洋的海權。

宋、元時期，南海交通範圍愈廣，貿易也愈蓬勃。市舶稅收是國家歲收非常重要的項目。明州、泉州、廣州是最重要的三大貿易港，外人僑居者不少。當時航海技術進步，冬季從廣州、泉州，或明州啟航，順東北季風沿越南海岸南下，抵馬來半島，再穿過麻六甲海峽到蘭里（蘇門答臘西北端）；由蘭里往西有兩條路線：一條為沿孟加拉灣繞經印度半島抵波斯灣，此為傳統路線；另一條則直接橫越印度洋直達阿拉伯半島南邊的麻離拔，此為唐代以後新開闢的航路。另爪哇以北的蘇祿（菲律賓群島南）、渤泥（婆羅州）等地區，雖無法順東北季風到達，但也在此時期納入南海貿易圈。據統計此時與中國交往的國家及地區有一百四十幾個；中外貿易物品超過四百種。進口物品以香料為大宗；出口物品仍以各式絲織品最受歡迎，但瓷器、鐵器、銅器、漆器，和茶等也日趨重要。所謂「海上絲路」於此達於鼎盛。

明、清時代，政府長期實施海禁政策，不鼓勵人民從事海外貿易，對於海外國家則以朝貢體制羈縻之。其後隨著東西新航路的發現，歐洲殖民勢力東侵，繁榮近兩千年的「海上絲路」遂告沒落。

Silk Road on the Sea

Transoceanic transportation can be traced to time immemorial in China. In southeastern coast and Shandong Peninsula, many ship remnants dating from prehistoric time to West Han Dynasty were excavated. These findings reflect that ship had been a means of transportation between East Asia and nearby waters since ancient times.

With the establishment of its empire, Qin annexed Jiaozhi, Rinan, and Jiozhen, which were today's Vietnam. This annexation cleaned the route of South Sea; nations of Southeast Asia and around East Indian Ocean were attracted by the developed material environment of China and started to look for trade opportunities through the ocean. In this rush of oceanic transportation, Jiaozhi became the gateway port. In Han Shu, the history of the Han Dynasty, a detailed description can be found about the geographical positions and sailing routes from Rinan to today's Malaysia, Myanmar, India, and Sri Lanka. At that time, Roman Empire dominated the Mediterranean region: its merchants came to China either through Central Asia or through the sailing routes as described in Han Shu.

After Han came the Wei, Jin, and Southern and Northern Dynasties. In the split China, the north underwent a series of wars, while the south had opportunities to develop their international relationship: the Wu Kingdom sent several fleets to celebrate its national power to the South Seas; kings of the Southern Dynasties worshipped Buddha, thus attracting many foreign monks to China. Transportation on the South Sea became more frequent and convenient and Guandong substituted Jiaozhi as the gateway port.

During Sui and Tang Dynasties, China was united and could devote to maintain its infrastructures. The construction of the channel facilitated the transportation between the north and the south. After the rebellions by An Lushan and Shi Siming, the Southeast China became the center of economic development; the importance of overseas trade increased. Tang government set up an office in Guandong to manage foreign trade and tribute. At that time, the Arabian Empire rose to power, allowing Arabian merchants to compete with Chinese; the former dominated the Indian ocean while the latter the west Pacific ocean.

When it came to Song and Yuan Dynasties, the range of transportation increased and the trade became more frequent. Ship and trade tax became an important income for the government. At that time, Minzhou, Quanzhou, and Guandong were the most important trading ports, where plenty foreign merchants chose to live. Navigation technology was already advanced then; new routes were found and new trading nations appeared. More than 140 countries were doing business with China; more than 400 kind of commodities were traded. The primary import was spices, while the primary export was silk products, with increasing importance of porcelains, iron wares, bronze wares, lacquer wares, and tea products. This was the zenith of the Silk Road on the Sea.

However, the grandeur of overseas transportation gradually languished in Ming and Qing Dynasties, with the emperors' edict of Hai Jin, or banning on maritime activities, discourged people from overseas trade. Then, with the discovery of new sailing routes, European colonizing power approached Asia, tolling the bell for the near 2000 year old Silk Road on the Sea.

孔雀綠釉瓶（複製品）

Peacock Green Glaze Bottle (replica)

尺寸：高74.5公分，口徑15公分，腹徑42公分，底徑17公分。

重量：25公斤

材質：陶

典藏：福建博物院

　　斂口，豐肩，長腹漸收，狀如橄欖。通體施孔雀綠釉，釉質晶瑩。原件為福州五代閩國劉華墓出土。王審知據閩後四十年間，福建境內安定，並重視海外通商貿易，此物可能為外國傳入。

This olive-shaped bottle is completely glazed with translucent peacock green glaze. Excavated in Fuzou, this article dates back to the Five Dynasties, when Fujian was a peaceful region and highly developed in oversea trade and transportation. This article might be a foreign import.

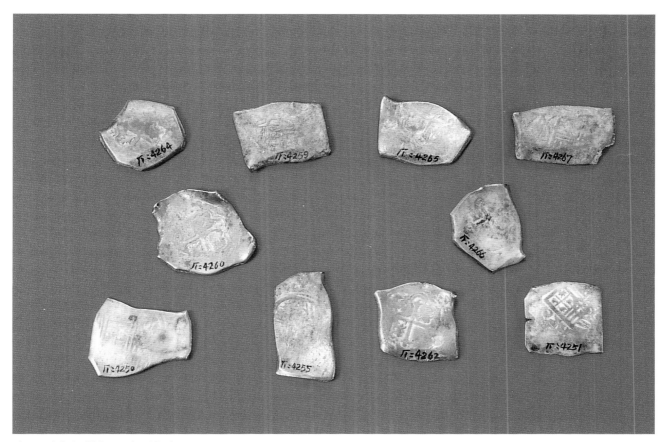

十六至十七世紀西班牙銀幣

Spanish Silver Coins from 16th and 17th Centuries

尺寸：長3.1~4.5公分，寬2.3~3.6公分。

材質：銀

重量：約20~28克

年代：十六至十七世紀

典藏單位：福建博物院

　　10枚。形狀呈不規則多邊形，正面圖案主要爲西班牙國徽、雙獅雙城，背面是族徽紋章，爲盾形圖案。1972年11月南安詩山出土。明代後期，每年都有大量的西班牙銀幣從菲律賓輸入福建漳泉地區。南安是福建著名僑鄉，明萬曆年間菲律賓華僑中有不少來自南安。此批銀幣流入的時間可能爲十六世紀後半期或十七世紀初期。

宋元時期的泉州外僑

　　泉州位於閩南，據晉江下游。古代泉州港包括晉江入海處的泉州灣及其以南的深滬灣與圍頭灣。唐末東南沿海外貿發達，泉州逐漸成為重要港埠。五代時因人口驟增，城區擴大，由於新城遍植刺桐樹，故又名「刺桐」。

　　北宋時，泉州人口已超過二十萬，宋朝政府並在此設市舶司；南宋時，其市舶稅收長期居全國第一。入元以後，地位更躍居沿海諸港埠之上，成為當時中國第一大港市。

　　由於對外貿易發達，泉州很早便有外僑居住。宋時因法令規定外番人不得居城內，因此留居泉州的外僑都住在城南晉江沿岸，結果城南反成鬧市，其府志有云：「一城要地，莫盛於南關，四海舶商，諸番琛貢，皆於是乎集。」政府不得不將市區重新規劃。元時泉州外商來者倍逾以往，所謂：「纏頭赤足半番商，大舶高檣多海寶。」據汪大淵《島夷志略》所述：當時與泉洲通商的國家及地區達九十八個。

　　泉州外商由於富有，其居住地區建築都很漂亮，又因各族外僑各有各的信仰，因此各種宗教建築紛然棋布於泉州城四周；此外東坂地區還有外僑公墓。晚近以來此類外僑住宅或宗教建築、墓碑石刻等遺物發現不少。其中宗教建築石刻有伊斯蘭教、基督教、印度教，及摩尼教幾種；墓碑型制多為伊斯蘭教徒的塔式墓蓋石刻。從墓碑文字看，多並刻阿拉伯文、波斯文，與中文。此類遺物遺跡年代最早者為南宋時代，元代最多，最晚至清代光緒年間。他們見證了泉州近五百年的繁華，也透露了東西方海上貿易與文化交流的一頁光輝！

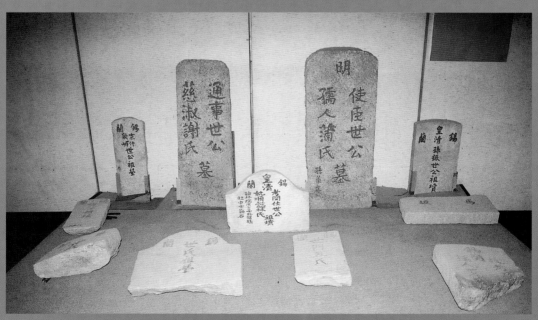

錫蘭王子家族墓碑
此家族自明代遷居泉州，後改姓世，族群繁衍至今。

宋蕃客墓石碑

Tombstone of Foreigner in Quanzhou

尺寸：長135公分，寬57公分，厚13公分。

材質：花崗岩

重量100公斤

典藏單位：福建博物院

　　梯形。碑上部刻阿拉伯文，中部刻漢字「蕃客墓」三字。泉州出土。「蕃客」一詞指僑居中國的外國人，唐代便已有這個名詞。隨著海外交通和海洋貿易的發展，宋朝時期泉州港已成爲著名港口，中外交流十分頻繁。當時不少阿拉伯人留居並客死泉州。此碑說明當時這些外僑也自稱「蕃客」，故此詞絕無貶意。

元伊斯蘭教艾哈瑪墓碑（複製品）
Islamic Ihamad's Headstone (replica)
尺寸：長37公分，寬53公分，厚8公分。
重量：25公斤
材質：青石
典藏：泉州海外交通史博物館

　　雙面均陰刻文字，一面混刻著阿拉伯文和波斯文，另一面刻中文。中文寫道：「先君生於壬辰六月二十三日申時。享年三十歲。于元至治辛酉九月二十五日卒，遂葬於此。時至治二年歲次壬戌七月日，男阿含抹謹志。」阿、波文譯文是「人人都要嘗死的滋味。艾哈瑪德・本・和加・哈吉姆・艾德勒死于艾哈瑪德家族母親的城市——刺桐城。生於（伊斯蘭曆）692年。享年三十歲。」這塊墓碑反映了在泉州的阿拉伯人受中國文化的影響，學習中文並取中國姓，且娶中國女子爲妻。「刺桐」爲泉州古名。

The two faces of this stele are all inscribed. One side is a mixture of Arabic and Persian, while the other side is in Chinese. The Chinese inscription tells of when the owner of the grave was born and when he died. The Arabic and Persian inscription can be roughly translated as "No one goes beyond death. Ihamad died in the city where the Mother of Ihamad family died, in the city of Chi-tong. He was born in Year 692 of Hegira calendar, was 30 years old when he died." We can gather from this stele that Arabs in Quanzhou were influenced by Chinese culture, learned Chinese, took up Chinese family names, and married Chinese women. "Chi-tong" is the ancient name of Quanzhou.

元伊斯蘭也門教寺碑（複製品）
Islamic Yemen Stele (replica)
尺寸：長95公分，寬51公分，
　　　厚9公分。
重量：60公斤
材質：青石
典藏：泉州海外交通史博物館

　　寺建於十二世紀（南宋），原址位於泉州津頭埔，後毀於元末，現留此門楣石刻。一面用仿庫法體的古阿拉伯圖案文字，陽刻《古蘭經》經句；另一面用阿拉伯古體小楷陽刻：「一位虔信（真主）、純潔的長者建築了這座吉祥的禮拜寺的大門和圍牆，他是也門人奈納·奧姆爾·本·艾哈瑪德本·曼蘇爾·本·奧姆爾·艾比奈。乞討真主恩賜他、寬恕他。」「也門」即「葉門」，在阿拉伯半島波斯灣岸。

　　The Arabian inscription reads like this: "An elder of purity and devotion builds the gate and surrounding walls of this temple. This elder from Yemen begs for Lord's grace and forgiveness."

宋黃公墓百氏墳石碑
Tombstone of Huang and Bai in Quanzhou
尺寸：長82公分，寬51公分，厚10公分。
材質：石
重量：75公斤
典藏單位：福建博物院

　　長方形。碑正面刻兩豎行楷書「黃公墓」、「百氏墳」及阿拉伯文、波斯文，背面則全刻阿拉伯文。泉州出土。這是元代時死在泉州的一對波斯穆斯林夫婦合葬的墓碑。反映出當時部分外僑已改用中國姓氏。

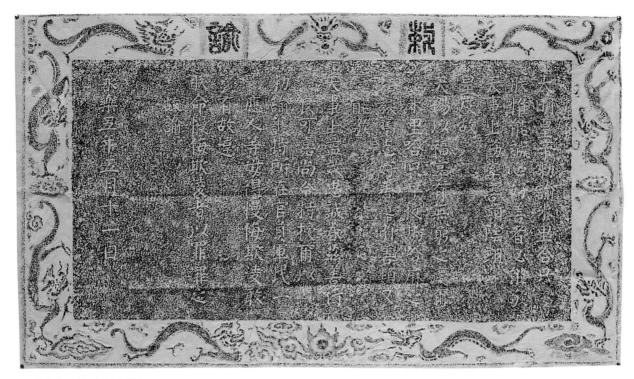

明永樂帝敕諭碑拓片

Rubbing of Emperor Yongle's Imperial Decree

尺寸：長1612公分、寬96.7公分。

材質：紙

典藏：泉州閩台關係史博物館

　　係保護伊斯蘭教之諭令。計15行，123字，楷書，篆額「敕諭」兩字，雲龍框，落款「永樂五年五月十一日」。現碑嵌于泉州清淨寺內。

A decree to protect muslims in China.

元景教興明寺也裏可溫碑

Nestorianism Stele

尺寸：長60公分，寬25公分，厚10公分

材質：青石

重量：15公斤

典藏單位：泉州海外交通史博物館

　　長方形。四周浮雕纏枝圖案，中間陰刻14行漢字，碑文是：「於我明門，公福蔭裏。匪佛後身，亦佛弟子。無憾死生，升天堂矣。時大德十年歲次丙午三月朔日記。管領泉州路也裏可溫掌教官兼任持興明寺吳安哆呢思書。」推測原碑可能在兩塊以上，此為最後一塊。「也裏可溫教」即景教另一譯名。此碑揭示，至遲在西元1306年，泉州已有一座景教教堂—興明寺。這是泉州第一次發現的景教教堂名稱，也是已知的泉州最早的古基督教教堂。同時這位掌教官兼住持已取漢姓，其中文水平不低。值得注意的是碑文相當「佛教化」，反映當時中外文化融合至深。

元景教尖拱形四翼天使石刻

Nestorianism Tombstone

尺寸：長53.5公分，寬51公分，厚9.5公分。

材質：青石

重量：15公斤

典藏單位：泉州海外交通史博物館

　　景教是基督教的一派，於唐時傳來中國。此石刻呈三角弧尖拱形。正面透雕一圓窗形，下浮雕一四翼天使，頭頂三尖冠，雙手合捧著蓮花和小十字架，端坐於祥雲之上，身上飄帶飛舞。其雕刻風格，融合了古希臘、古波斯、以及佛教藝術的影響。反映了泉州曾發生過的文化交融盛況。

元景教尖拱形墓碑
Nestorianism Tombstone
尺寸：長55公分，寬51公分，厚10公分。
材質：青石
重量：20公斤
典藏單位：泉州海外交通史博物館

　　三角尖拱形。上面浮雕一大十字架，下為浮雕的雲朵。這種雕刻著上下左右長度相
等、尾端稍微放大的十字架的基督教石刻被歐美學者稱為「刺桐十字架」。其原型為古希
臘的十字架，此處則明顯出現「中國化」的跡象。

明錫蘭世氏祖塋墓碑
Tombstone of Prince from Ceylon
尺寸：長50公分，寬45公分，厚10公分。
材質：白花崗岩
重量：30公斤
典藏單位：泉州海外交通史博物館

　　上部成圓拱形，下部呈長方形，上橫書「錫蘭」二字，中間書「世氏祖
塋」四字，字均陰刻，已描紅。1996年發現於泉州世家坑墓地。明朝永樂年
間（一說天順年間），錫蘭（今斯里蘭卡）國王耶巴乃那派王子巴來那率領進
貢團來到中國，後來定居泉州，其後代取「世」爲姓。他們的墓碑均刻上
「錫蘭」二字，以示不忘遙遠的故國家鄉。1996年以來，在泉州東嶽山「世家
坑」的世氏墓地先後發現28方世氏墓碑。

印度教泰米爾文碑刻 (複製品)

Tamil Stele (replica)

尺寸：長120公分，寬34公分，厚12公分

重量：50公斤。

材質：石。

典藏：泉州海外交通史博物館

　　碑文內容：「向莊嚴的合羅 (濕婆神)致敬。願此地繁榮昌盛。時於釋迦1203年奇帝茱之日，聖班達・貝魯瑪，別名達瓦查庫拉瓦蒂，(尊稱)蒙契嘎察伊汗的健康，建造了烏代耶爾・鐵爾迦尼・拉舒代耶爾神的神像。」原碑於1956年12月出土於泉州城南俗稱「番佛寺」的印度教寺遺址附近。泰米爾於十一世紀至十五世紀統治印度南部，商業及航海業非常發達。此碑說明十三世紀末已有泰米爾人定居於中國境內。

The inscription is a dedication to Shiva and a wish for the prosperity of country. The stele was excavated in 1956 from a relic called "Foreign Buddhist Temple" in Quanzhou. Tamil governs the south India from 11th to 15th century; trade and voyage were common and prosperous. This stele shows that Tamil people has started to settle in China since as early as 13th century.

貿易瓷

中國陶瓷外銷至國外地區可以溯源自魏晉南北朝時代，晚近東南亞的泰國、馬來西亞、印尼爪哇和蘇門答臘，東亞的韓國及日本，都發現過魏晉時期的釉陶或青瓷器片，這些地區自漢代以來便與中國往來密切，輸入中國陶瓷並不意外。

唐代陶瓷製造空前蓬勃，海外交通也比以前發達，因此陶瓷成為重要的外銷物品。近年在日本、東南亞、南亞、西亞，及北非的埃及、蘇丹，和肯亞等地，都發現過唐代晚期的陶瓷器片，其中除了傳統的越窯青瓷外，還有長沙窯，極少量的邢窯白瓷及三彩。

宋代重視海外貿易，瓷器的重要性僅次於絲織品。趙汝適《諸蕃志》記載當時與中國貿易往來的國家與地區有五十六個，其中明列瓷器交易的有十五個，其最遠處至東非的層拔（今坦尚尼亞沿岸）。考古出土宋代瓷器片的海外地區實際要廣一些，如巴基斯坦便未被列入。當時輸往國外的瓷器主要為青瓷（越窯及龍泉窯）、青白瓷、磁州窯、德化窯等，大都為閩、粵當地所燒製。

元代瓷器外銷達於空前，汪大淵《島夷志略》中所列瓷器交易的國家及地區便有五十三個。一九七七年在韓國西南部木浦市外海發掘的元初沉船，船上所載的中國瓷器便多達一萬八千餘件。此時龍泉窯是最大宗的貿易瓷，除了浙江原產地外，江西景德鎮和福建境內一些民窯也大量仿造。元代後期，景德鎮燒製的青花瓷崛起，很快也成為外銷瓷的要項。

明初實施海禁，對外貿易受到限制，但瓷器輸出並未中斷。很多國家透過向中國朝貢而取得的「賞賜」中便有許多瓷器，有官窯也有民窯產品。鄭和下西洋也帶許多瓷器到外國，如馬歡《瀛涯勝覽》和費信《星槎勝覽》都有詳細記載。明代中期後，海禁漸弛，閩、粵境內民窯競相燒製貿易瓷，其中不少且係依據國外訂單圖樣製作。十六世紀後，葡萄牙人和西班牙人東來，更將中國瓷器直接運銷至歐洲，極受歡迎；據統計，從一六〇二年至一六八二年，經荷蘭東印度公司輸出的中國瓷器總數便達一千六百萬件以上，平均每年超過二十萬件。當時幾乎所有中國境內燒製的瓷種都有外銷者；以數量言，則仍以東南沿海省份為多，它們在國外地區名稱不同，但不外是青花、青瓷、青白瓷、白瓷、黑釉，及各式彩瓷等。以下介紹幾種宋、元、明時期較有名的貿易瓷：

龍泉窯　窯址在浙江省龍泉縣境，明代地屬處州，故又稱「處州瓷」。創燒於北宋初年，南宋達於極盛，明代中葉後逐漸衰落。早期產品仍不脫越窯影響，南宋中期逐漸形成特有的風格。器物造型淳樸，器底厚重，具有穩重感。釉色多呈青綠色，特別是南宋時期發展出粉青與梅子青，使其達到一種如玉似冰的境界。龍泉窯在宋代便大量外銷，元、明仍盛，海外出土不少。

德化窯　窯址在福建省德化縣。考古發掘早在唐末五代便已開窯，但至北宋起才以燒製白瓷為主，明代達於極盛。德化白瓷釉色純白，既不同於唐、宋時期泛淡黃色的白瓷，也不像明代景德鎮燒製的影青瓷。其色澤光潤明亮，乳白如凝脂，在光照之下，釉中隱現粉紅或乳白，外國人特稱隻為「鵝絨白」或「中國白」。德化窯也是自宋代起便供應外銷，市場主要為東南亞地區；明嘉靖以後，因歐洲人勢力侵入東南亞，而使德化窯外銷受到影響。

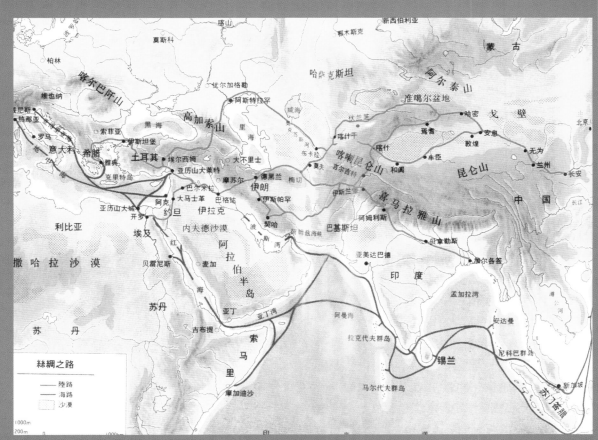
明代中外交通圖

　　泉州窯　考古發現的泉州窯有兩處：一在碗窯鄉，窯址面積較大，以燒製青白瓷為主；一在磁灶，以燒青釉及黑釉器為主。泉州窯器一般胎薄器小，且慣用覆燒或疊燒方式，很有地方特色。宋、元時代大量外銷東南亞。

　　汕頭器　泛指廣東、福建沿海地區的明、清青花瓷器，由於多由廣東汕頭出口，而當時外國人不明其燒製窯口在何處，一律慣稱為「汕頭器」。其特徵是胎質粗、釉不均勻、圖案率意，最突出的是器底多粘有一層沙粒，是因為施釉不均勻使瓷器在窯燒時釉水下流沾到匣缽底部鋪墊的沙粒所致。有些較大的碗形器內壁還有疊燒的「澀圈」痕跡。汕頭器的窯址迄今仍不清楚，晚近調查結果廣東境內以博羅、揭陽，和澄邁等窯口較確定。福建境內則有漳州、平和、華安、南靖等窯口。其生產以明末達於頂盛。

　　克拉克瓷器　泛指明代萬曆時期的出口瓷器。1602年，荷蘭東印度公司劫掠了兩艘葡萄牙商船（荷蘭語稱kraak），船上裝滿著當時中國出口的青花瓷器，後來荷蘭東印度公司將這些瓷器在歐洲拍賣，引起轟動，也激起歐洲人對中國瓷器的空前興趣。這批瓷器主要有盤、碗、瓶、軍持等，而以盤的數量最多。其特徵主要在紋飾上，中心圖案多為花卉或人物、動物，周邊則作六至十個扇形或圓形開光，開光內再飾以八寶或花草等圖案。過去學界認為此類青花瓷器主要燒製於江西廣昌及會昌，晚近考古發掘福建境內的平和縣五寨鄉窯址也可能是克拉克瓷的生產地。事實上，克拉克瓷或同類產品流傳很廣，不可能是一個地方生產的，明末清初之際，中國瓷器外銷一度中斷，而歐洲需求仍殷，致日本伊萬里也有仿燒者。

107

青花龍紋瓶

Jar with dragon design

Blue and white

Period：Yuan

尺寸：口徑8.2公分，底徑7.9公分，高25.1公分。

材質：瓷

年代：元

私人收藏

　　瓶作玉壺春式；胎土微呈磚紅，厚重；青花呈藍灰色，瓶身及瓶口部分泛紫紅色；瓶身繪一條三爪行龍，有元代風格。

青花魚紋罐

Jar with fish and water-ripple pattern

Blue and white

Period: Yuan style, south China

尺寸：口徑14公分，底徑13.7公分，高20.5公分。

材質：瓷

年代：元

私人收藏

　　胎質厚，除底部外，裡外皆上釉；青花釉色灰藍，有結晶；繪魚草紋，器身紋飾開光，分繪四條魚，姿態各異，繪工精美。

青花蕉葉紋小瓶

Small vase with floral design

Blue and white

Period: Ming style

尺寸：口徑4.9公分，底徑4.2公分，高17公分。

材質：瓷

年代：元

私人收藏

　　胎質厚，呈紅褐色，瓶內外皆施釉，青花呈藍灰色；瓶頸繪蕉葉紋，瓶身繪連枝花卉；瓶底內凹，露胎。

110

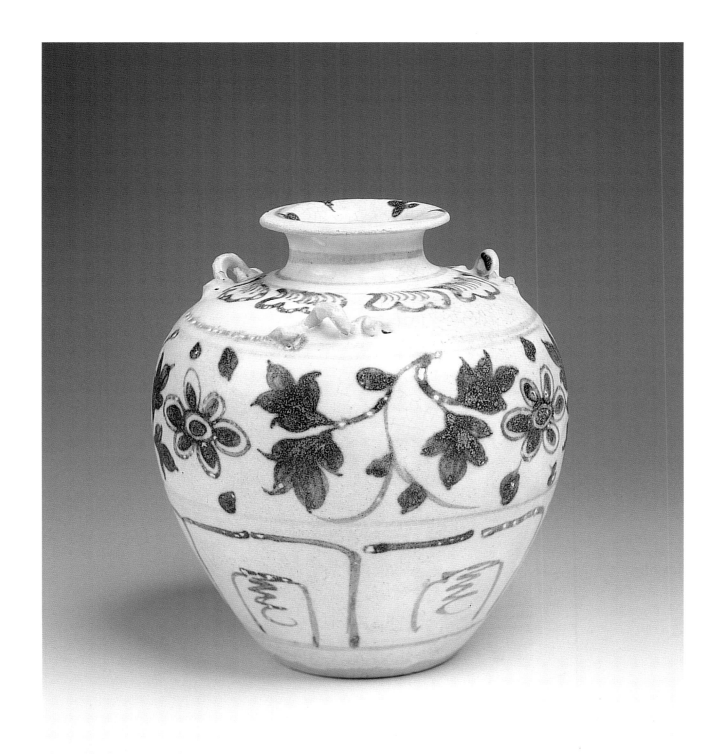

青花花葉紋三繫罐

Jar with three ears

Floral design, blue and white

Period: Yuan

尺寸：口徑5公分，底徑5公分，高12公分。

材質：瓷

年代：元末明初

私人收藏

　　胎米白，青花暗藍色，束頸撇口，罐肩有三繫耳，罐身繪花葉紋；罐底露胎，平底。紋飾特徵有元代風格。

永樂青花碗

Bowl with peony design

Blue and white

Period: Yunglo style, Ming

尺寸：口徑9.2公分，底徑5.1公分，高4.2公分。

材質：瓷

年代：明

私人收藏

　　胎質厚重，釉豐滿，青花色重，有深色結晶；
碗形作葵花形；碗心及碗身飾花草紋；碗底有印款。

青花玉壺春瓶
Vase with lotus design
Blue and white
Period: Early Ming style
尺寸：口徑7.8公分，底徑7.4公分，高21.6公分。
材質：瓷
年代：明初
私人收藏

　　胎質厚，釉層飽滿，器底胎土呈紅色，圈足，無款。瓶口內呈一圈一圈狀，內口緣上釉並繪青花捲草紋，瓶頸繪蕉葉紋，瓶身繪花草紋。青花顏色深藍，表面有結晶，繪工精美。

青花龍鳳紋細頸瓶
Long neck vase with dragon and phoenix, marked "內府"
Blue and white
Period: Ming style
尺寸：口徑1.1公分，底徑4.8公分，高18.7公分。
材質：瓷
年代：明
私人收藏

　　胎質白細，厚重；瓶身繪龍鳳雲朵紋；青花呈灰藍色，
厚重處呈結晶狀。器底有「內府」二字款。

青花瓜稜罐

Octagonal jar with plant patterns

Blue and white

Period: 16th-17th century, south China

尺寸：口徑10.2公分，底徑13.5公分，高19.8公分。

材質：瓷

年代：明

私人收藏

　　器作成瓜稜狀，上下裡外皆施滿釉。胎質厚重。器身繪藤瓜紋；青花呈灰藍色。

青花梵文盤

Plate with Sanskrit characters, dated "Wanli"

Period: Wanli, Ming

尺寸：口徑18.8公分，底徑6.1公分。

材質：瓷

年代：明

私人收藏

　　胎質厚重，呈灰白色。盤作葵花狀，盤心書梵文，周圍也用梵文爲飾；盤底繪花卉；圈足，足內有「萬曆乙丑年製」款。

克拉克青花鳳鳥紋高頸敞口罐

Kraak open-mouthed Jar

Blue and white

Period: Late Ming to Qing

尺寸：口徑17公分，底徑14公分，高28.2公分。

材質：瓷

年代：明末清初

私人收藏

　　深腹高頸敞口，圈足底。胎質厚重，釉層飽滿。罐頸開光飾鱗紋，罐身繪花卉鳳鳥紋。罐內有一個洞（可能是插花用）。

克拉克青花三魚紋盤

Kraak plate with fish and auspicious character

Blue and white

Period: 17th-18th century

尺寸：口徑31.5公分，底徑20.5公分，高4.8公分。

材質：瓷

年代：明

私人收藏

　　胎質厚重，扣之有金屬聲；盤心繪三魚，周圍開光繪八寶，盤外繪圓圈紋。盤底圈足，未上釉。

克拉克青花花鳥紋盤

Kraak plate with flower and bird design

Blue and white

Period: 17th-18th century, Japan

尺寸：口徑31.6公分，底徑17.5公分，高5.3公分。

材質：瓷

年代：明

私人收藏

　　胎質厚重，白中泛青；器身及器底皆施釉，盤心繪開光花鳥紋飾；盤外飾簡單花草紋。繪工頗精美。可能為十七世紀末日本燒製。

克拉克青花漁夫紋圓盤

Kraak plate with fisherman at center

Blue and white

Period: Late Ming

尺寸：口徑27.2公分。

材質：瓷

年代：16～17世紀

私人收藏

　　胎質細，白中泛青，青花藍中帶灰，有結晶；盤心繪漁夫一人，盤緣開光繪花卉，盤底素面。

克拉克青花人物牧馬紋圓盤
Kraak plate with men and horse design at center
Blue and white
Period: 17th-18th century
尺寸：口徑26.7公分
材質：瓷
年代：明
私人收藏

　　胎質白中帶灰，厚重。青花呈灰藍色，有結晶。盤心繪兩位牧人和一匹馬，背景爲遠山，外圈一圈菱格紋；盤緣開光繪八寶。盤底素面，周圍繪花卉紋。

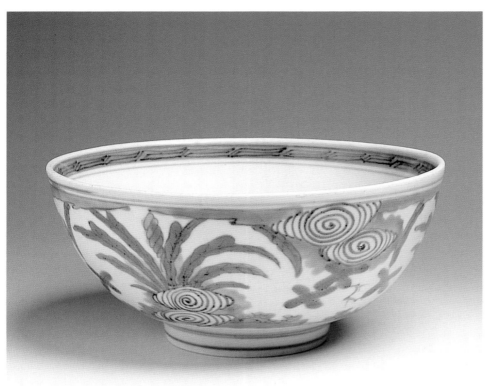

青花碗
Bowl with floral and spot
design,
Blue and white
Period: Yuan
尺寸：口徑15公分，
　　　底徑5.8公分，
　　　高6.8公分。
材質：瓷
年代：元
私人收藏

　　胎土灰白，青花呈灰
藍色，碗心及碗口內緣繪
有花卉紋，碗身繪帶螺旋
的花卉紋。

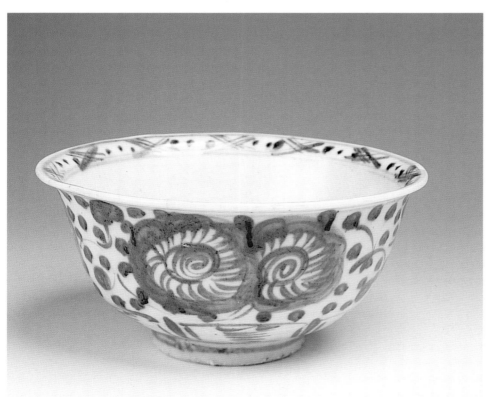

青花大碗
Bowl with banana leaves
design
Blue and white
Period: Ming
尺寸：口徑20.9公分，
　　　底徑8.9公分，
　　　高9.9公分。
材質：瓷
年代：明
私人收藏

　　胎質潔白，青花呈灰
藍色，碗深腹圈足。碗心
繪花卉，碗身繪花草螺旋
紋。為明代貿易瓷。

青花螃蟹紋小盤
Small plate with crab design
Blue and white
Period: Ming
尺寸：口徑15公分，
　　　底徑8.8公分。
材質：瓷
年代：明
私人收藏

　　胎質厚，呈白灰色；
釉層飽滿均勻；青花藍中
帶灰。盤心繪一隻螃蟹；
盤底繪捲草紋飾。

青花魁字碗
Bowl with "魁" patterns
Blue and white
Period: Ming
尺寸：口徑13.8公分，
　　　底徑5.3公分，
　　　高5公分。
材質：瓷
年代：明
私人收藏

　　胎灰白，釉層有冰裂
紋；青花呈暗灰藍，碗底
圈足，未上釉，露胎，黏
附窯沙。碗心書一「魁」
字，碗身繪花草紋，爲明
末外銷之「汕頭器」。

赤繪花卉紋大碗
Bowl with scrolling foliage
Red and green glaze, swaton style
Period: 16th-17th century, late Ming
尺寸：口徑29公分，底徑12.2公分，高8公分。
材質：瓷
年代：明
私人收藏

　　胎質厚重，碗心繪紅花綠葉紋，周圍有四個
橢圓形開光，內繪紅綠彩花卉；碗底及碗身素
面，有冰裂。圈足，無款。

赤繪孔雀花卉紋大碗
Bowl with peacock and floral design
Red and green glaze
Period: Ming style
尺寸：直徑17.8公分，底徑6.6公分，高7公分。
材質：瓷
年代：明
私人收藏

　　胎質厚，呈灰褐色。釉層飽滿，有冰裂紋。
碗心繪孔雀花卉，並有開光紋飾；碗身繪一圈花
卉。碗底圈足，無款。

龍泉刻花大罐

Jar with carved floral design

Long-chuen ware

Period: Ming style

尺寸：口徑21.6公分，底徑23.5公分，高43.6公分，腹圍123.5公分。

材質：瓷

年代：明初

私人收藏

　　束口圓肩深腹圈足；胎厚；裡外皆上釉，釉色青綠，器身刻滿花草紋飾。

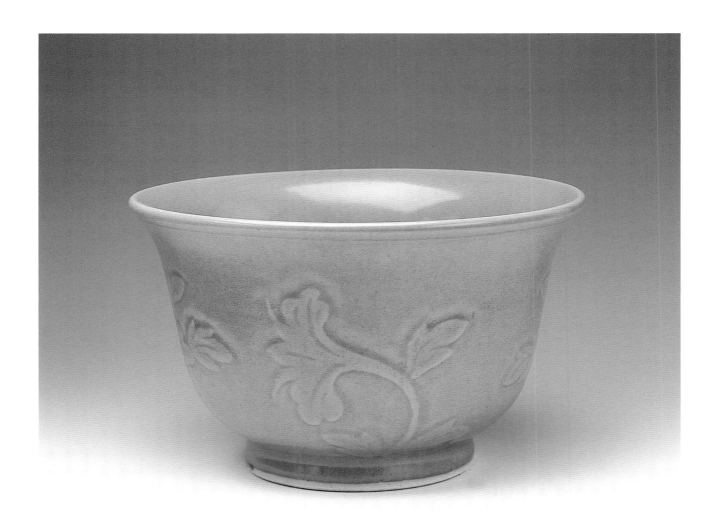

龍泉刻花盆

Bowl with carved floral design

Long-chuen ware

Period: Ming

尺寸：口徑24.2公分，底徑12.5公分，高15公分。

材質：瓷

年代：明

私人收藏

　　胎質厚重；深腹圈足；裡外皆施釉。盆內素面無紋飾；盆外刻花卉紋。質感極佳。

龍泉壽字盤

Plate with "壽" patterns

Long-chuen ware

Period: Ming

尺寸：口徑26.3公分，底徑13.3公分，高4.5公分。

材質：瓷

年代：明

私人收藏

　　盤緣呈葵花形，盤心飾蓮花重瓣紋，外圍飾壽字紋及雙龍（首）；盤底爲圈足，足圈内塗黑色，有三個同心圓圈紋。

龍泉天字款小圓盤
Small plate with signature"天" at center
Long-chuen ware
Period: Ming
尺寸：口徑12.2公分，底徑6.5公分，高3.3公分。
材質：瓷
年代：明
私人收藏

　　盤心有「天」字款；盤身及盤底素面無紋飾；
盤底露胎。

龍泉大香爐

Large incense burner, Long-chuen ware

Period：Ming

尺寸：高32公分。

材質：瓷

年代：明

私人收藏

　　胎土呈黑色，厚重，釉層飽滿，青釉色美，泛寶光，器身刻花卉紋。爐蓋為檀木鏤刻，中嵌一銅質獅鈕方印。為明代官窯燒製。

龍泉高腳杯
Cup with high foot
Celadon glaze
Period: Ming style
尺寸：口徑13公分，高12.8公分。
材質：瓷
年代：明
私人收藏

　　器形呈高足杯狀，胎厚實，釉層飽滿，裡外皆施釉。器底露鐵色胎土，中空施釉。

龍泉雙繫耳小口大腹瓶
Vase with two ears
Celadon glaze
Long-chuen style
Period: Ming
尺寸：口徑4.2公分；底徑8.2公分，高18.7公分。
材質：瓷
年代：明
私人收藏

　　胎質厚重。器腹大口小，有圈足。器表除頸肩部有數道弦紋外，素面，釉色呈梅子青色，有釉滴痕跡。

永樂八仙彩罐

Jar with the Eight Immortals design

Period: Ming

尺寸：口徑10.9公分，底徑12.9公分，高21.1公分。

材質：瓷

年代：明

私人收藏

　　器身以綠色爲底，線刻八仙人物。罐裡不掛釉，罐底
作成同心圓圈狀。釉彩淡雅，似粉彩。罐肩浮雕「大明永樂
五歲在丙辰仲夏月內府藏珍」十六字款。罕見。

永樂白瓷盞
Tea Cup
White porcelain
Period: Ming style
尺寸：口徑11.6公分，底徑3.8公分，高4.4公分。
材質：瓷
年代：明
私人收藏

　　胎極薄，透光，釉潔白純淨，器心浮刻龍紋（需透光才能看見），碗底刻「永樂年製」款。

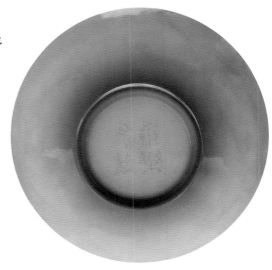

龍紋天青釉天球瓶

Vase with round belly and carved dragon design

Celadon glaze

Period: Ming

尺寸：口徑5公分，腹徑16.5公分，底徑8公分，高24.5公分。

材質：瓷

年代：明

私人收藏

　　瓶身浮刻三爪龍紋，瓶頸刻捲草紋；平底。胎呈粉紅，有鈣化現象；瓶口內掛釉約三公分深。

釉裏紅斂口罐

Jar with a hexagonal floral motif

Cobalt red under-glaze, painted

Period: Ming style

尺寸：口徑8.3公分，底徑12公分，高17.8公分

材質：瓷

年代：元末明初

私人收藏

　　胎質厚重，呈灰白色。器身以紅釉料繪捲草紋，紅色部分泛灰，有元末明初風格。

白釉六角形蓋罐
Jar with a cover
White porcelain
Period: Early Ming
尺寸：口徑7.5公分，底徑10.4公分，高（含蓋）8公分。
材質：瓷
年代：明
私人收藏

　　胎質厚，裡外均施釉，釉白中泛青，表面呈冰裂紋；罐身作六角形，附蓋，罐口亦爲六角形；罐底平，施釉，無款。

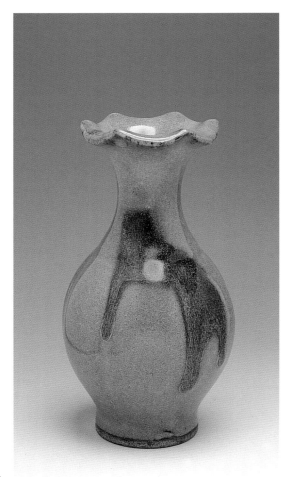

仿鈞釉葵花瓶
Vase with lozenge mouth
Chun ware
Period: Ming style
尺寸：高17公分。
材質：瓷
年代：元末明初
私人收藏

　　胎質厚重，呈褐色。釉層飽滿，瓶身窯變紫色斑。瓶底不上釉，釉表面出現玻璃化現象。

黃釉綠彩梅瓶

Vase with plum flower design

Yellow and green glaze

Period: Ming style

尺寸：口徑5.8公分，底徑15公分，高35公分。

材質：瓷

年代：明

私人收藏

　　胎質厚重；器身以黃釉爲底，刻綠彩花葉紋飾；器底略泛赤紅色。

青花祥瑞杯組
Cup with "吳祥瑞" mark
Blue and white
Period：Late Ming

尺寸：口徑6.1公分，高3.9公分。
材質：瓷
年代：明末
私人收藏

　　五個。胎潔白，釉層均勻，青花顏色鮮艷，杯身繪花草紋，杯底書「五良大甫吳祥瑞造」八字款。爲明末外銷日本的名器，日本伊萬里窯亦仿造。

嵌銀附蓋茶葉罐
Jar for tea with floral and geometric designs
Blue and white
Period: Late Ming
尺寸：口徑7.2公分，底6.5公分，高7.2公分。
材質：瓷
年代：明
私人收藏

　　器口嵌銀，附銀質內外蓋。罐身裡外皆上釉，胎質純淨細白，釉色清潔飽滿；器身繪竹、菊、梅、蘭四君子圖，並書「一碗喫容高談追時」兩行字。底平，附三足。全器燒製精美，質感極佳。

青花兔紋小罐
Spice box with rabbit motif
Blue and white
Period: Qing style
尺寸：口徑5公分，高（連蓋）3.6公分。
材質：瓷
年代：十七世紀
私人收藏

　　胎質潔白細膩，未上釉，罐蓋上施一層薄釉，並用青花料繪月兔紋。精緻小巧。

青花龍紋椎形杯
Cup with dragon design
Blue and white
Period: Yuan

尺寸：徑7.4公分；高7公分。
材質：瓷
年代：元
私人收藏

　　胎質厚重，胎土呈淺褐色。杯呈椎狀，杯底為盤狀。杯體繪四爪青龍奔騰紋，繪工佳。通體溫潤，有冰裂。

青花飛馬紋小罐
Medicine jar with flying horse motif
Blue and white
Period: Late Ming to Qing
尺寸：口徑4公分，底徑4.4公分，高8公分。
材質：瓷
年代：明末
私人收藏〈183〉

　　胎白而薄；釉極厚，罐身繪三匹飛馬，罐內施釉；罐底未施釉。

青花帶孔蓋薰爐
Incense Burner with plants design
Blue and white
Period: Ming style
尺寸：口徑6.3公分，底徑6.2公分，高（連蓋）15公分。
材質：瓷
年代：明
私人收藏

　　胎質潔白厚重，裡外均施釉，釉層均勻且飽滿。爐身繪花草，青花呈藍灰色；爐蓋鏤孔，裡外均施釉。爐底黏附一層窯砂。

宣德方形水盂　　　　　　尺寸：口對徑3.5公分，底部對徑4.2公分，高3.9公分。　　　仿哥窯水盂，胎質
Square water-drop jar　　材質：瓷　　　　　　　　　　　　　　　　　　厚重，釉層極飽滿，色澤
Green glaze　　　　　　　年代：明　　　　　　　　　　　　　　　　　　質感均佳。器底有「宣德
Period: Ming　　　　　　　私人收藏　　　　　　　　　　　　　　　　　年製」款。

 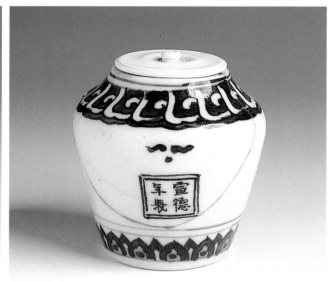

宣德香料小罐　　　　　　　　　　　　　　尺寸：口徑4.1公分，底徑4.4公分，高6.5公分。　　　胎　白　；釉色
Small jar　　　　　　　　　　　　　　　　材質：瓷　　　　　　　　　　　　　　　　　　深藍，罐身繪一隻
Green glazed porcelain, marked "宣德年制"　年代：明　　　　　　　　　　　　　　　　牛，有「宣德年製」
Period: Ming　　　　　　　　　　　　　　　私人收藏　　　　　　　　　　　　　　　　款；附象牙質蓋。

越南青花蓋罐

Jar with lid

Blue and white, Southeast Asia

Period: 14th-15th century

尺寸：口徑7.8公分，底徑13.2公分，高（連蓋）15公分。

材質：瓷

年代：14～15世紀

私人收藏

　　平蓋罐，胎質灰黃；蓋面、罐身繪農村景色；青花呈淺藍色，表面氣泡明顯，燒造水準不佳，罐底內凹，有釉。為越南燒製。

越南青花杯
Cup with lotus-leaf pattern
Blue and white，Southeast Asia
Period: 15th-16th century
尺寸：口徑8.6公分，底徑5公分，高5.4公分。
材質：瓷
年代：15～16世紀
私人收藏

　　胎土厚重，呈白色；除器底外，裡外均上釉；表面有冰裂紋，杯內心及杯身繪花草紋飾；杯底圈足高，無款。爲14～15世紀越南燒製之青花瓷。

越南青花小碗
Bowl with auspicious patterns
Blue and white, Southeast Asia
Period: 15th-16th century
尺寸：口徑9.1公分，底徑4.7公分，高5.6公分。
材質：瓷
年代：15-16世紀
私人收藏

　　胎質厚重，呈灰褐色。除碗底外，全器施釉，有冰裂紋。青花呈灰色，部分受海水侵蝕脫落。碗心書一「福」字；碗身圖案似「壽」字。高圈足。爲越南14世紀燒製之外貿瓷。

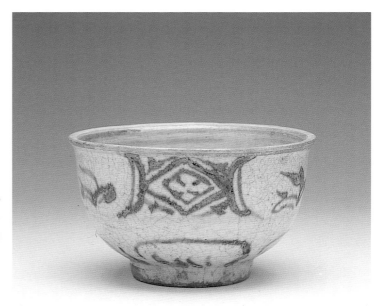

泰國青花蓋罐
Jar with lid
Blue and white, Thai ware
Period: 15th century
尺寸：口徑20.4公分，底徑11.8公分，通高19公分。
材質：瓷
年代：14～15世紀
私人收藏

　　胎質厚重，呈紅褐色。帶蓋，蓋上附鈕；蓋身與罐身一體，繪花卉紋飾。青花顏色呈暗灰色。器物造型有泰國地方特色。

青釉圓腹雙繫罐
Jar with round belly and ring handles
Celadon glaze，Southeast Asia
Period: 15th-16th century
尺寸：口徑5公分，底徑8公分，高14公分。
材質：瓷
年代：15世紀
私人收藏

　　胎呈紅褐色，厚重。釉層不厚但
均勻，有冰裂紋。小口深腹高圈足，罐
頸附雙繫。內裡施釉。罐肩及上部暗刻
一圈月形紋及圓點紋。罐底未上釉、露
胎。為東南亞瓷器。

泰國青釉象形壺
Elephant-shaped Bottle
Celadon glaze, Thai ware
Period: 15th-16th century
尺寸：口徑4公分，底徑8.7公分，高10.5公分。
材質：瓷
年代：15世紀
私人收藏

　　胎呈褐灰色，釉厚，壺底釉滴呈深綠
色，像玻璃一樣。壺底部不上釉、露胎；壺
嘴做成象頭狀，壺口做成象背，附兩繫耳，
還有靠背。風格奇特。

西亞釉器

　　西亞陶器製作的歷史可上溯到距今七千年以前蘇美人時代。到了距今四千年前左右在現在伊朗高原地區出現了施釉陶器。最初多為含氧化鐵的黑色釉，並以攝氏八百度左右的低溫燒成；後來從埃及傳入一種帶玻璃質的青釉，此種釉料本身因含有少量的金屬物質，所以會出現明亮的光澤，非常受到西亞各國統治階層喜愛，因而成為眾多王宮及宗教建築的裝飾構件，其後隨著波斯帝國與亞歷山大帝國的興起，此種青釉的運用非常廣泛，甚至傳向東方地區，而被稱為「帕爾提亞綠釉」。

　　公元三世紀後，薩珊王朝興起，波斯文化美術工藝發展趨於鼎盛。由於薩珊王朝統治者長期限制民間使用金屬器具，因此境內釉陶器燒製十分蓬勃，並發展出藍色及紅色的彩釉來。此期間由於東西方絲路大通，中國一些青瓷的造型也影響到波斯釉器的造型，如細頸瓶與繫耳罐等。七世紀以後，回教勢力大興，中國也進入盛唐時代，東西方透過陸上及海上絲路貿易交流，彼此工藝技術互相影響。特別是鹼性釉的傳入，它使西亞釉器發展從此進入透明釉的時期；而鈷藍釉的使用則使中國瓷器逐漸脫離單色釉的時代。到了十二、三世紀，波斯陶工學會在透明釉下運用他們傳統的黑色及深藍色彩，而且也懂得二次燒的技法，考古出土了許多此時期的釉器，色彩豐富，胎質細緻，幾乎可以比美當時的中國瓷器。

　　一般而言，西亞釉器不論在技法或圖樣上都非常多樣。其傳統技法始終以低溫軟陶為主，圖樣紋飾早期以花草、幾何紋、人物故事等為主，自回教興起後便以回教藝術為主；用途上，除了作為建築磚瓦裝飾外，亦做祭祀或日用器皿，不過多供上層階級人士使用。由於使用的胎土耐熱性不高，所以無法發展出高溫釉器；但正由於以低溫即可溶解釉料中的金屬物質，很容易便可從金屬氧化物中顯出呈色，因而產生一種明艷的效果與風格。在世界陶瓷發展史上，西亞釉器是中國瓷器以外另一種可以自成系統的窯燒器。

刻紋釉彩盤　波斯　12世紀

釉下彩水煙管　波斯　17世紀

藍釉花卉紋軍持瓶
Kendi with floral design
Blue glazed porcelain
Period: 15th-16th century
尺寸：口徑8.5公分，底徑12公分，高23公分。
材質：瓷
年代：15世紀
私人收藏

　　胎呈褐黃色，厚重。全器施滿釉，釉色天藍泛白。瓶身以白釉繪一朵花卉。

波斯藍彩束頸瓶

Vase with scrolling vine motif

Blue paint porcelain, Western Asia

Period: 14th-15th century

尺寸：口徑10公分，底徑8.5公分，高17公分。

材質：釉陶

年代：14～15世紀

私人收藏

　　胎質厚重，呈褐灰色；除底部外，裡外皆施釉。白底藍彩，有冰裂現象。

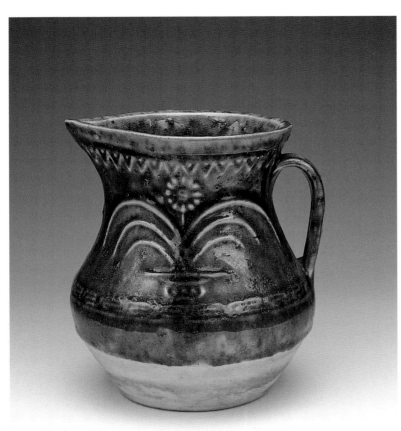

阿拉伯綠釉單耳罐
Arabic Jar with single handle
Green over-glazed pottery，Western Asia
Period: 14th-15th century
尺寸：高14.5公分。
材質：釉陶
年代：14～15世紀
私人收藏

　　器胎呈黃褐色，輕；上半部施釉，釉層極厚；器身浮雕花草紋飾，器裡亦施釉。

阿拉伯青釉盤
Plate with blue glaze
Western Asia
Period: 14th-16th century
尺寸：口徑20.4公分，底徑11.8公分，通高19公分。
材質：瓷
年代：14世紀
私人收藏

　　圓盤，圈足。口緣露出孔雀藍釉層。整件器係先上一層帶銀粉及蘇麻青的釉料，再入窯燒成，是典型的二次燒釉器。

波斯三彩大盤
Three-colour glaze large plate,
Persia style,Western Asia
Period：13th century

尺寸：口徑34公分，高12.6公分
材質：釉器
年代：13世紀
私人收藏

　　胎土呈褐黃色，盤呈斗狀，裡外皆
施三彩釉，盤心刻花卉紋，盤口內緣刻
一圈連續雙圈紋。爲十三世紀產品。

波斯藍釉魚紋三角瓶
Triangular-shaped vase with fish design
Blue over-glazed porcelain, Western Asia
Period: 15th-16th century

尺寸：涵蓋高17.3公分
材質：瓷
年代：15-16世紀
私人收藏

　　瓶附蓋，蓋裡露胎，胎呈粉紅
色。瓶身做成三角形，兩邊繪對稱
的雙魚紋，一邊繪花卉；瓶底未上
釉，瓶內施釉，釉表面有冰裂紋。

十三至十六世紀的中外貿易物品

自唐代以來，中外海上交通便以貿易為主要目的，所謂「風化既通，梯航交集，以此之有，易彼之無，古人貿通之良法也。」故海外貿易又稱「市舶」。

宋、元時期中國出口到外國的貨物主要是各種手工業產品，其中尤以紡織品和陶瓷器最重要。據趙汝適《諸蕃志》記載：宋代出口到南海的絲織品有錦綾、賈錦、綀絹等；而汪大淵《島夷誌略》所載，元代輸往外國的絲織品有建陽錦、五色絹、皁綾、建寧錦、蘇杭五色緞、龍緞等，其中以五色絹和五色緞最受歡迎。另宋、元時代中國棉花種植和棉織業迅速發展，棉布也廣受外國一般平民歡迎，在各類紡織品中有後來居上之勢。

陶瓷器與漆器的銷路很廣。瓷器除了東亞、東南亞外，遠銷至西亞、東非沿岸。主要為越窯和龍泉窯的青瓷，其中有不少是專為出口生產的，如貼花青瓷碗和軍持〈kundika〉等。漆器是新興的外銷品，極受日本歡迎；但據《諸蕃志》載，占城、闍婆、麻逸、佛羅安等一些東南亞國家也非常喜愛中國漆器。

金屬製品也是重要的出口項目，主要有鐵器和各種銅製品；較特別的是銅錢，當時日本、爪哇、交趾等都以中國銅錢為貨幣，導致中國銅錢大量外流，造成通貨膨脹。

宋、元時期外國輸入中國的物品項目亦多，據南宋官方資料統計有三百三十餘項。當時習慣稱海外進口貨為「舶貨」，記載元代貿易的《大德南海志》將元代的「舶貨」分為寶物、布匹、香貨、藥物、皮貨、雜物六類。其中被歸為雜物類的日本刀及摺扇極受中國歡迎，歐陽修、梅聖俞都曾為日本刀寫過讚美詩；日本摺扇則有「外蕃巧藝奪天工」之譽。宋、元兩代政府都把「舶貨」分成粗、細二色。前者指一般貨物，抽稅較輕；後者指貴重貨物，抽稅重。為了增加稅收，宋、元政府總是不斷增加細色項目，如南宋末年細色為七十餘種，粗色有一百多種，而到元代則細色達一百三十餘種，粗色剩不到八十種。

明代輸往外國的商品仍以絲織品和瓷器為主，其中南京的織錦最為貴重，常被朝廷作為給來華朝貢國家的賞賜；鄭和下西洋每次都帶有大批南京織錦分賜海外各國君臣。十五世紀後，歐洲一些大城市發展出自己的絲織業，於是多來中國採購生絲作原料；西班牙佔有拉丁美洲後，中國生絲也大量銷往南美。瓷器則以江西景德鎮生產的青花瓷為最大宗，至十六世紀中葉西方勢力東來，福建、廣東境內許多民窯也大量生產青花瓷器供應外銷。荷蘭是當時最大的中國生絲與瓷器貿易國，透過荷蘭東印度公司的轉口貿易，中國生絲及瓷器遠銷東亞日本及歐洲各國；其中僅瓷器一項據統計每年就輸出二十萬件以上。

明代中業以後海禁解除，據載當時從月港〈漳州〉進口的外國貨品有一百一十餘項，其中香料十餘種、藥材十餘種，此外為食品、寶物、絲隻品、皮貨、金屬製品、玻璃器，和其他雜物。其中有一些物品是前代所無的，如鴉片、菸草、燕窩、番薯、花生、玉米，和玻璃眼鏡等。比較特別的是白銀，主要自拉丁美洲和日本輸入。本來自宋代發明紙幣以來，中國常因為紙鈔發行不當而發生嚴重的通貨膨脹，因此白銀逐漸受到重視；外國白銀大量進口正好緩解了中國的銀荒問題。據統計，明代末期〈萬曆至崇禎時期，公元1573~1644年〉，外國輸入中國的白銀至少一萬萬元以上。這種情況一直到清代中葉鴉片大量走私進口後才改變。

五爪龍紋銅鏡

Bronze mirror with dragon design

Period：Ming

尺寸：徑10.6公分

材質：青銅

年代：明

私人收藏

　　鏡爲圓形圓鈕，鏡背右邊鑄一條五爪飛龍，左邊有洪武年款。

青銅葫蘆爐

Bronze calabash- shapped sandalwood burner

Period：Ming

尺寸：口徑公分；底徑公分；高公分。

材質：青銅

年代：明

私人收藏

　　全器作葫蘆狀，爐口翻轉，爐身裹以葫蘆藤葉，婉轉有致。爐底鑄一條螭龍，無年款。製作極精美。

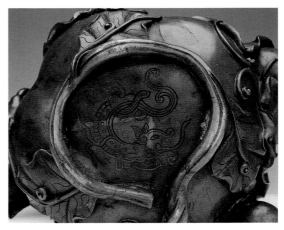

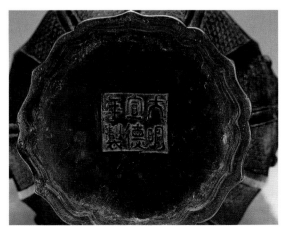

青銅葵花雙龍爐

Bronze sandalwood burner with two dragon design

Period：Ming

尺寸：口徑10.6公分；底徑11公分；高25.6公分。

材質：青銅

年代：明

私人收藏

　　爐身刻滿菱形紋飾，爐口至爐底等份貫穿
十條直線，一凹一凸。兩側各鑄一條龍作爐耳，
一張口、一閉口。爐底有宣德年款。

青銅三螭蓋爐
Bronze sandalwood burner with three Pan Chi pattern cover
Period：Ming
尺寸：口徑20.7公分；底徑16.6公分；連蓋高21公分。
材質：青銅
年代：明
私人收藏

　　爐蓋鑄三條螭龍，中間隔四個圓孔。爐身鑄刻「宣德之寶」四字。爐底刻一朵花。

南宋鎏金瓜形器（銀髮冠）
Gilded silver pendant, Southern Song
尺寸：長9.5公分，寬7.1公分，高3.7公分。
材質：銀
重量：139.3克
年代：南宋
典藏單位：福建博物院

　　呈半球行，中空，器表共錘瓜棱六瓣，端部瓜蒂處飾瓜葉及枝蔓，並精刻細部。通體鎏金。髮冠造型頗具匠心，工藝精巧細膩，很能代表南宋的工藝風格。

南宋鎏金銀執壺
Gilded silver pot,Southern Song
尺寸：通高23.4公分。
材質：銀
重量：317.5克
年代：南宋
典藏單位：福建博物院

　　侈口，束頸作喇叭形，弧腹，扁曲柄，弧形流，圈足，器蓋有圓柱形蓋鈕，器身與器蓋之間經一條銀鏈相連，器身鏨刻雙鵲對鳴、圍花並巾貼金，口沿飾三角圓點紋，柄、流及圈足處飾卷草紋並泥金。此器造型別緻，裝飾優雅。

155

南宋鎏銀雙鳳紋葵瓣式銀盒
Gilded silver mirror case, Southern Song
尺寸：通高5.9公分，口徑13.7公分。
材質：銀
重量：354.3克
年代：南宋
典藏單位：福建博物院

六出菱花形，子母口，器身扁平，製作規整。蓋面上錘印雙鳳圖案，周邊飾如意花卉，腹部飾卷草紋，通體鎏金。出土時盒內放置一面六出菱花紋銅鏡。

南宋鎏金銀托盞
Gilded silver cup with saucer,
Southern Song
尺寸：通高6公分，口徑7.3公分，
底徑6公分，外徑14.4公分。
材質：銀
重量：82.5克
年代：南宋
典藏單位：福建博物院

上部形如盂，下部如盤，坐六出菱花形，上下部連成一體，圈足外撇，素面，杯口及圈足底部鎏金一圈。

156

鐵觀音

Iron statue of Guanyin

Period：Ming

尺寸：高56公分。

材質：鐵

年代：明

私人收藏

　　鐵鑄，表面有銹蝕，觀音頭飾寶花，身著瓔絡垂地的衣服，一手施無畏手印，一手持淨瓶，威嚴中透著慈祥。觀音也是民間崇祀的航海守護神。

木刻塗金媽祖神像

Wood statue of Queen of Heaven

Period：Ming

尺寸：高21.5公分。

材質：木

年代：明

私人收藏

　　木胎紅漆底，塗金，媽祖身著龍紋官服，坐在老虎身上，神態安祥。爲明代船上奉祀之天妃神像，俗稱「船頭媽」。

158

木刻塗金媽祖神像

Wood statue of Queen of Heaven

Period：Ming

尺寸：高17.2公分。

材質：木

年代：明

私人收藏

　　木胎，塗金部分脫落；媽祖爲坐姿，身著龍紋官服，頭帶平天冠，雙手握於胸前，雙腳分踏在兩隻老虎上，神態威嚴。

159

木胎漆金真武神像

Wood statue of Zhenwu Gods

Period：Ming

尺寸：通高84公分，底座48×42公分。

材質：漆木

年代：明

典藏單位：福建博物院

　　木像，通體髹漆，顏色灰褐，真武作垂臉注目狀，身著圓領寬袖長袍，腰佩玉帶，赤足端坐。
造型端莊，紋飾流暢，雕工精湛，反映了明代的漆木雕工藝水平。

木胎螺鈿漆盒

Mother-of-pearl lacquer case

Period：Yuan

尺寸：口徑9公分；連蓋高2.8公分。

材質：木

年代：元

私人收藏

　　木胎，盒內髹漆，盒身及蓋面布滿小螺鈿，以五種幾何排列方式構成五瓣花卉紋飾；蓋裡中央再用螺鈿作一個桃子紋。富麗精巧。

錫胎紅漆盒

Carved red lacquer case

Period：Yuan

尺寸：口徑8公分

材質：錫

年代：元

私人收藏

　　錫胎，漆層厚，裡層為黑漆，外層為紅漆；剔刻重瓣菊花紋。盒內及盒底皆素面黑漆。富麗精美。

木胎螺鈿黑漆凳

Mother-of-pearl black lacquer stool

Period：Ming

尺寸：高43.5公分

材質：木

年代：明

私人收藏

　　木胎，髹黑漆，凳面螺鈿人物圖，凳身及四足布滿花卉及人物堂屋庭園等紋飾，富麗堂皇。

162

木胎剔紅小漆桌

Carved red lacquer table

Period：Ming

尺寸：面長30公分；寬23.2公分；桌高29.3公分。

材質：木

年代：明

私人收藏

　　木胎，通體髹紅漆，漆層厚；桌面剔刻雙鳳牡丹紋，桌身剔刻雲紋；四足呈外勾狀，附四方座。端莊典雅。

163

夾苧胎剔紅花鳥紋漆盤

Carved red lacquer plate

Period：Ming

尺寸：長56公分；寬33.5公分。

材質：苧麻

年代：明

私人收藏

　　夾苧胎，盤面髹紅漆，剔刻花鳥紋，刀法俐落，構圖簡潔有層次感；盤底髹黑漆，露胎。

木胎剔紅漆筆（一對）

Carved red lacquer pens

Period：Ming

尺寸：通長28.5.公分、
　　　25.2公分。

材質：木

年代：明

私人收藏

　　木胎，筆桿及筆帽皆髹紅漆，剔刻花卉紋。

泰國純金小佛像

Golden statue of Buddha

Southeast Asia

Period：16th century

尺寸：座高8.5公分，佛像高7公分。

材質：佛像金質；座為純銀。

年代：16世紀

私人收藏

　　佛像為坐姿；銀質座，呈金字塔形，上層刻蓮葉紋；最下層有古泰文。

木刻影戲偶

Wood sculpture shadow show image of man

Southeast Asia

Period：15th century

尺寸：長61.8公分，上寬26.7公分，下寬24公分。

材質：木（彩繪）

年代：15世紀

私人收藏

　　木刻彩繪影戲人偶；漆繪脫落嚴重，手柄與偶身用鐵釘釘合。反面也彩繪、也脫落。刻工活潑生動。印尼工藝品。

166

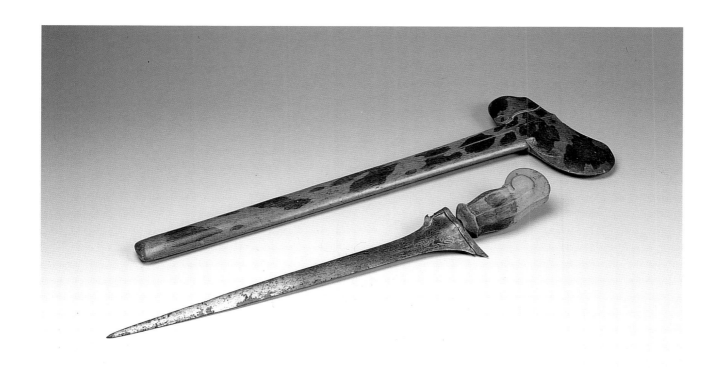

東南亞土酋用劍
Knife
Southeast Asia
Period：15th-16th century
尺寸：長63.3公分（連鞘），劍身（連柄）公分，高59.5公分。
材質：大馬士革鋼（鍛銀）；木柄；玳瑁紋木鞘
出土地點：印尼爪哇
年代：15~16世紀
私人收藏

　　劍身爲大馬士革鋼，鍛銀（花紋明顯）；鞘爲木質，
玳瑁紋；柄爲木質，未上漆。

木刻面具
Wood sculpture mask of man
Southeast Asia
Period：15th century
尺寸：長18公分，寬13.7公分
材質：木（彩繪）
年代：15世紀
私人收藏

　　木刻彩繪面具；漆繪略脫落。刻工
活潑生動。印尼工藝品。

木刻面具
Wood sculpture mask of man
Southeast Asia
Period：15th century
尺寸：長20公分，寬14公分
材質：木（彩繪）
年代：15世紀
私人收藏

　　木刻彩繪面具；牙齒鏤空，刻工造
型均生動。印尼工藝品。

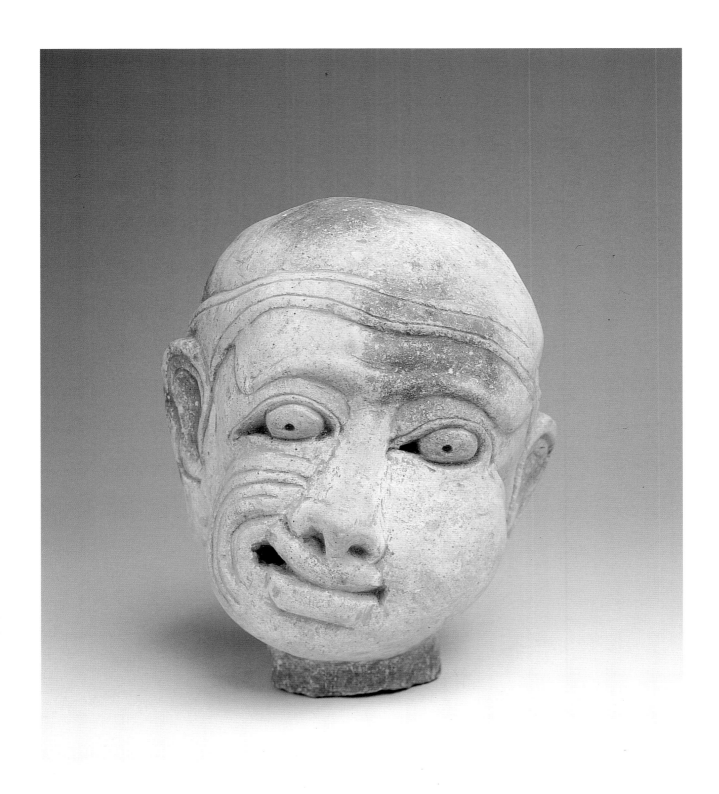

石刻猴頭
Stone sculpture of monkey head
Southeast Asia
Period：15th-16th century
尺寸：高14公分。
材質：石灰岩
私人收藏

　　猴子是印度及東南亞受歡迎的動物，在古印度神話中扮演重要角色，因此猴神亦受東南亞人民信奉。此尊猴頭出土於印尼，五官擬人化，頗生動。

印度青銅仕女像

Bronze sculpture woman

India

Period：15th-16th century

尺寸：高40.5公分。

材質：銅

年代：15~16世紀

私人收藏

　　青銅鑄攬鏡仕女，曲線苗條婀娜。

170

木刻雙人頭椅
Wood sculpture chair of two
man heads
East Africa
Period：15th-16th century
尺寸：長66公分，寬23.2，
　　　高38公分。
材質：木
年代：15~16世紀
私人收藏

　　非洲木刻椅，椅背爲二
個人頭造型；椅腳爲三支足
狀物；全器一體刻成，造型
巧妙。

非洲人面木刻
Wood sculpture of man face
East Africa
Period：17th century
尺寸：高37公分。
材質：黑檀木
年代：17世紀
私人收藏

　　整塊黑檀刻成人面（背面未
刻），一隻手刻在頭髮上，臉故意扭
曲，頗有現代感。

鄭和下西洋及相關史事年表

公元年	中國紀年	大事紀要
1368	洪武元年	朱元璋於金陵即帝位;元順帝北逃。
1369	洪武2年	分封諸子為藩王。
1370	洪武3年	占城、爪哇及西洋瑣里等國遣使入貢。
1371	洪武4年	安南、高麗、渤泥、暹羅、三佛齊等國遣使入貢。
1374	洪武7年	罷市舶司,禁沿海官民私自出海。
1380	洪武13年	胡惟庸謀反被誅,廢宰相。
1382	洪武14年	明軍入雲南,鄭和於家鄉昆陽被俘,時年12歲。
1384	洪武17年	頒定八股取士制度。
1386	洪武19年	帖木兒滅伊兒汗國。
1387	洪武20年	湯和於浙江沿海增設衛所以防倭寇侵擾。
1390	洪武23年	燕王朱棣發兵征討北元,此後總制北平軍事。
1392	洪武25年	朝鮮李成桂廢高麗王,建朝鮮王朝。
1399	建文元年	惠帝從齊泰、黃子澄之議,決定削藩;七月,燕王朱棣以「靖難」為名舉兵反叛。
1402	建文4年	燕王入南京,旋即帝位,是為成祖;惠帝失蹤。 蒙古去元國號,改稱韃靼。
1403	永樂元年	遣宦官侯顯使西域;馬彬、李興等使爪哇、蘇門答剌、暹羅等國;尹慶使滿剌加、柯枝等國。 封足利義滿為日本國王;封黎蒼為安南國王。
1404	永樂2年	日本遣使來華獻所俘倭寇。
1405	永樂3年	鄭和第一次下西洋;至占城、爪哇、蘇門答剌、古里、舊港。於永樂三年返回。 設福建、廣東、浙江三市舶司。
1406	永樂4年	明軍進討安南黎氏。
1407	永樂5年	明軍俘安南黎氏,改置交趾布政使司,安南正式內屬中國。 成祖遣給侍中胡濙以訪仙人張邋遢為名,遍行天下郡邑以尋惠帝。 九月二日,鄭和返抵國門,同月十三日再奉命出使,是為第二次下西洋;至爪哇、暹羅、南巫里、加異勒、滿剌加、錫蘭、古里、柯枝等國,於永樂七年返國。 《永樂大典》編成。
1408	永樂6年	渤泥國國王麻那惹加那來朝,同年病卒,成祖尊其遺願賜葬於南京。
1409	永樂7年	明朝設奴兒干督司於黑龍江下游,版圖擴大至黑龍江流域。 明軍平交趾簡定之亂。 八月鄭和返回,旋再奉命下西洋;至占城、靈山、崑崙山、暹羅、交欄山、爪哇、舊港、滿剌加、九州山、蘇門答剌、龍涎與錫蘭山等地,俘錫蘭國王,於永樂九年歸。為第三次下西洋。

1410	永樂8年	成祖親征蒙古韃靼。
1413	永樂11年	鄭和第四次下西洋；經蘇門答剌，至忽魯謨斯、比剌、溜山等國，於永樂十三年返國。
1414	永樂12年	成祖親征蒙古瓦剌。 榜葛剌國遣使獻麒麟（長頸鹿）。
1417	永樂15年	鄭和第五次下西洋；經占城、爪哇、滿剌加、蘇門答剌、錫蘭山、古里等，至忽魯謨斯、阿丹、麻林、剌薩、沙里灣泥、木骨都束等十九國；各國紛紛遣使隨鄭和來中國朝貢；永樂十七年返回。
1420	永樂18年	明朝正式遷都北京。 設東廠，以宦官主之，專司偵查。
1421	永樂19年	鄭和以護送各國使節回國為名第六次下西洋；前往忽魯謨斯、阿丹、祖法兒、甘巴里等十六國；於永樂二十年返國。
1422	永樂20年	成祖再親征韃靼阿魯台。
1424	永樂22年	成祖再親征阿魯台，七月死於榆木川。 鄭和奉命出使舊港，以成祖崩逝而取消。 仁宗即位，以下西洋勞民傷財，詔令罷下西洋諸國寶船。同時約禁西域諸國貢使。
1425	洪熙元年	鄭和奉命出任南京守備。
1427	宣德2年	明朝以交趾叛亂不定，撤交趾布政使司。
1430	宣德5年	宣宗以踐阼歲久，而諸番國遠者猶未貢，於是再命鄭和、王景弘等下西洋。
1431	宣德6年	鄭和第七次下西洋；經占城、爪哇、舊港、滿剌加、蘇門答剌、錫蘭山、古里，至忽魯謨斯，復分舵至祖法兒、阿丹、天方等國。次年船隊返國途中，鄭和逝於古里，葬於爪哇三寶；明廷特賜衣冠塚於南京牛首山。
1433	宣德8年	鄭和船隊返抵南京，天方默德那國遣使隨同至中國朝貢。

國家圖書館出版品預行編目資料

```
鄭和與海洋文化：鄭和下西洋六百周年特展 =
Zheng He and the Oceanic Culture: An Exhibition in
Memory of the Six Hundredth Anniversary of Zheng
He's Voyages / 國立歷史博物館編輯委員會編輯.
-- 臺北市：史博館，民94
  面；  公分. --
中英對照
ISBN 986-00-2520-7（精裝）

 1. 航海 - 中國 明（1368-1644） 2. 貿易 -
中國 -明（1368-1644）

626.24                                        94020023
```

鄭和與海洋文化—鄭和下西洋六百周年特展

Zheng He and the Oceanic Culture:
An Exhibition in Memory of the Six Hundredth Anniversary of Zheng He's Voyages

發 行 人　曾德錦
出 版 者　國立歷史博物館
　　　　　臺北市南海路49號
　　　　　電話：02-2361-0270
　　　　　傳真：02-2361-0171
　　　　　網址：http://www.nmh.gov.tw
編　　審　黃永川、李明珠
主　　編　蘇啓明
撰　　稿　蘇啓明、郭沛一、何又文
美編設計　張承宗
封面設計　游明龍設計有限公司
英文翻譯　林瑞堂、張沛誼
私人收藏　陳中皇、王　度、賈亦祖
印　　製　飛燕印刷有限公司
出版日期　中華民國九十四年十月
定　　價　新台幣500元
展 售 處　國立歷史博物館文化服務處
　　　　　臺北市南海路49號
　　　　　電話：02-2361-0270
GPN　　　1009403237
ISBN　　　986-00-2520-7（精裝）